Peter,
Gelukkige Verjaardag!
Jason Ryan

Moderne architectuur in Nederland

Moderne architectuur in Nederland

toonaangevende projecten uit de hedendaagse woningbouw

Librero

Oorspronkelijke titel: Casas en Holanda

Postbus 72, 5330 AB Kerkdriel
WWW.LIBRERO.NL

Projectleider: Aurora Cuito
Lay-out: Eric Coll
Technische tekeningen: Cristina Tarradas

Productie Nederlandstalige editie:
Deul & Spanjaard, Groningen
Vertaling: Bart Brouwer en Ingrid Reetz
Redactie: Elise Spanjaard
Opmaak: Elixyz Desk Top Publishing, Groningen

ISBN 90-5764-482-7

INHOUD

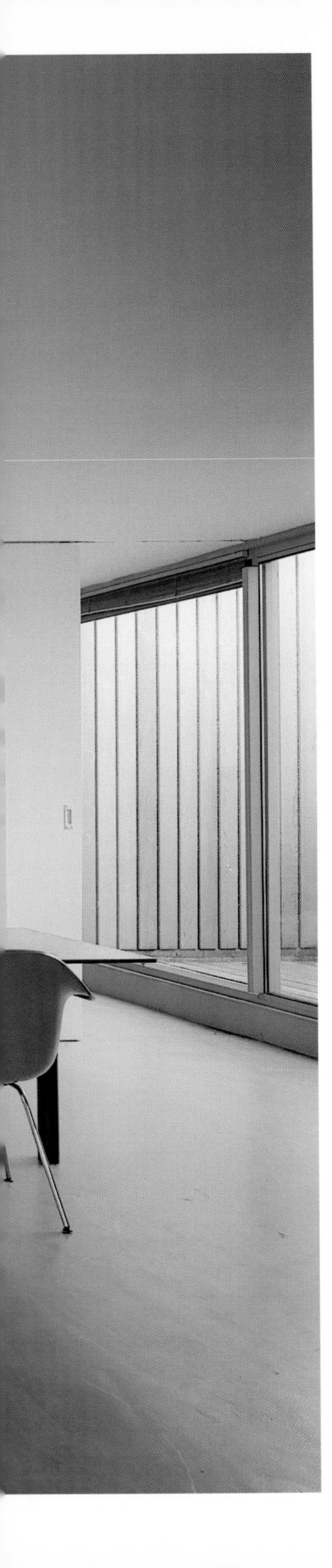

Inleiding

Vanaf het begin van de twintigste eeuw hebben architecten en ontwerpers uit de hele wereld de Nederlandse architectuur als hoogwaardig en vernieuwend beschouwd. Sinds de jaren twintig van de vorige eeuw hebben bewegingen als De Stijl, waarvan Gerrit Rietveld de belangrijkste architect was, hun stempel gedrukt op de kunstzinnige en culturele stromingen uit deze periode en tot op de dag van vandaag zijn deze bewegingen het onderwerp van studie.

Afgezien van deze solide bouwkundige traditie heeft een creatieve en baanbrekende architectuur ook op bijval in de Nederlandse samenleving kunnen rekenen. Deze maatschappij, gekenmerkt door haar democratische verleden, heeft door haar steun aan het vrijzinnige gedachtegoed en de ontwikkeling van overheidswege van een voorbeeldig maatschappelijk bewustzijn een moderne, open, kosmopolitische bevolking geschapen die welwillend tegenover culturele bewegingen van diverse aard staat.

Het is daarom niet verbazingwekkend dat architecten en opdrachtgevers een gedegen architectonisch overzicht vormen, waarvan de vormgeving van woningen een van de belangrijkste exponenten is. De in dit boek getoonde huizen laten zien, dat dankzij de aanwezigheid van talent en ontvankelijkheid voor vernieuwing, projecten worden voortgebracht die interessant te noemen zijn vanuit verschillende gezichtspunten. Of het nu is vanwege de gebruikte innovatieve technieken, het ecologisch bewustzijn en de besparing van energie, de gebruikte materialen of de flexibele en creatieve indeling, alle hier opgenomen woningen kunnen worden beschouwd als iconen van de woningarchitectuur uit het begin van de eenentwintigste eeuw.

Woonhuizen

VILLA 1 // LANAKEN, BELGISCHE GRENS

ARCHITECTEN: JO COENEN & CO **PLAATS:** LANAKEN **MEDEWERKING:** BURO BOUWADVIES (PROJECTLEIDING), XHONNEUX (AANNEMER), VAN DER WERF EN NASS (BOUWKUNDIGE CONSTRUCTIE) **BOUWJAAR:** 1999 **OPPERVLAKTE:** 770 M^2 **FOTOGRAFIE:** CHRISTIAN RICHTERS

Het huis, dat op een bosrijk terrein staat, moest van de opdrachtgevers aan twee eisen voldoen: een eenheid vormen met de omgeving en een duidelijk waarneembare verdeling tussen de verschillende vertrekken van de woning hebben. Bovendien moest rekening worden gehouden met de geldende bouwvoorschriften, waardoor een aantal extra maatregelen moest worden genomen en het huis twee verdiepingen heeft gekregen.

De verschillende woongedeelten zijn gelegen rond de tuin en omgeven twee patio's die zijn geplaatst in de richting van de straten die langs het terrein lopen. De omheiningen, heggen en muren die het terrein begrenzen, zijn ontworpen op basis van de naastgelegen afrasteringen zodat een grotere eenwording met de omgeving is bereikt. De borders en het aangeplante groen dragen tevens bij aan de homogeniteit van het geheel.

Om de woning discretie en intimiteit te bieden, is ze ingedeeld in een reeks ruimten die zich geleidelijk aan naar buiten toe ontsluiten. Op die manier lijkt de woning niet op een onneembare vesting terwijl ze wel voor de nodige privacy zorgt. Tussen de privé-vertrekken, zoals de badkamer en de slaapkamers, en de vertrekken die op het terrein uitkijken vindt men vestibules, gangen en verborgen hoeken die de ruimtelijke kracht van het project nog vergroten.

Bij de keuze van de materialen is er gezocht naar een beeld dat overeenkomst vertoont met de omliggende natuur, zodat er gebruik is gemaakt van kalksteen in okertinten, hout en grijskleurig zink voor de dakbedekking. Deze kleurencombinatie levert samen met de weerspiegeling in de nabijgelegen vijver een vredig en evenwichtig geheel op.

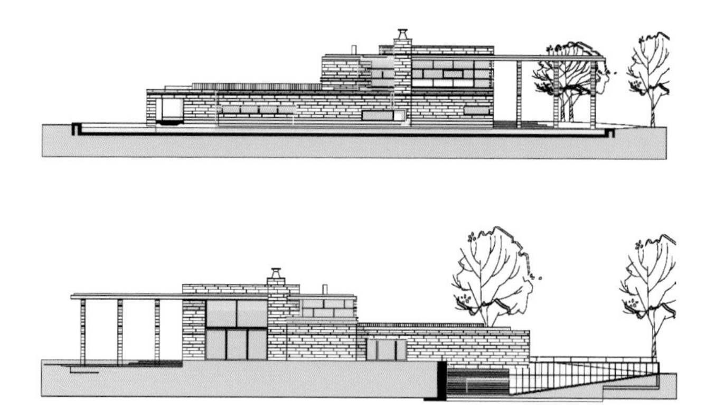

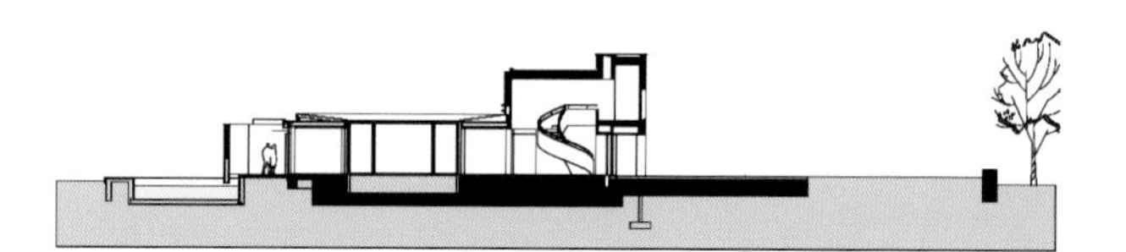

Aanzichten en doorsnede

In de aanzichten en de doorsnede komt het ingewikkelde spel van de bij de constructie van het gebouw gebruikte volumen tot uitdrukking. De blokvormige ombouwen gaan geleidelijk in elkaar over, waarbij op de snijpunten interessante ruimten ontstaan.

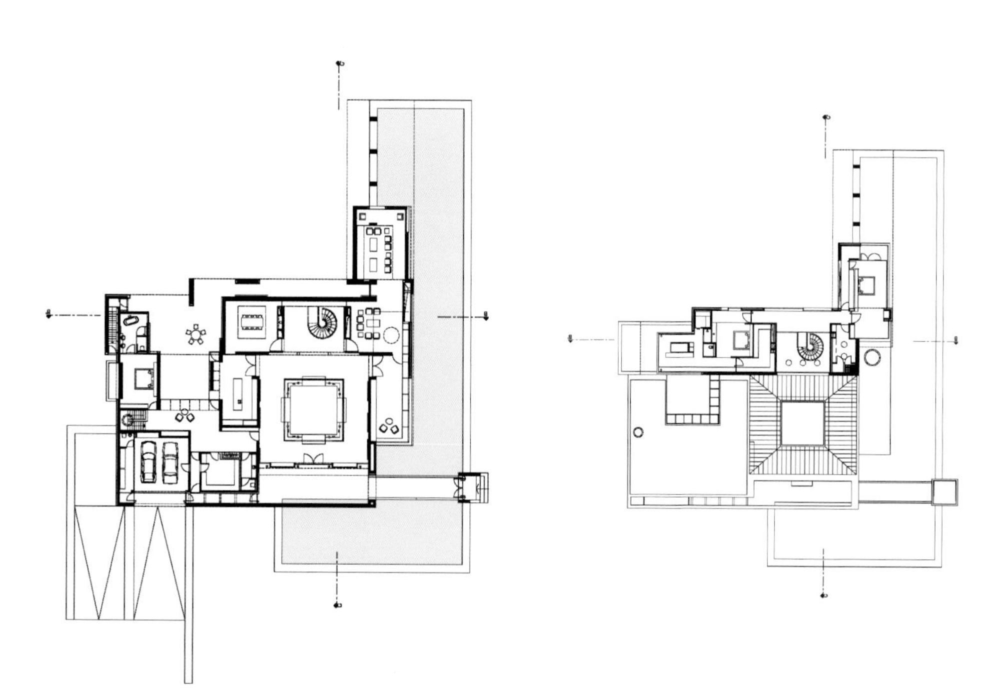

Begane grond en eerste verdieping

Een van de elementaire uitgangspunten van het project was de intense relatie tot de ruimte buiten het huis. Dit komt tot uiting in de grote ramen, de aanwezigheid van talrijke galerijen en in andere buitengelegen gedeelten, zoals het zwembad.

WOONHUIS BERGEN // BERGEN

ARCHITECTEN: MARC PROSMAN ARCHITECTEN **PLAATS:** BERGEN **MEDEWERKING:** RICK ABBENBROEK, STEVEN DE GREEF, MARCO DE HAAN, HEYMANS (AANNEMER), STRACKEE (BOUWKUNDIGE CONSTRUCTIE) **BOUWJAAR:** 2000
FOTOGRAFIE: CHRISTIAN RICHTERS

Dit huis ligt aan een lommerrijke bosrand, het is gebouwd op de plek waar een ander huis heeft gestaan dat mocht worden afgebroken. De enige voorwaarde waaraan het nieuw te bouwen huis moest voldoen, was dat het niet groter werd dan de oorspronkelijke woning.

Het ontwerp van de groep architecten onder leiding van Marc Prosman heeft een U-vorm gekregen, met het open gedeelte naar het achtergelegen terrein en de bosrand. Aangezien het perceel hoger ligt dan straatniveau, was er onder de woning net ruimte genoeg voor een carport, die van alle gemakken voorzien is. Achter een van de poten van de U is het bijgebouw opgetrokken, dat door het schuine dak voorzien kon worden van een extra verdieping.
De toegang tot de woning wordt verkregen via een stalen bruggetje, van waaraf het centrale karakter van de toegang, die de twee vleugels van het gebouw met elkaar verbindt en die dankzij de geheel glazen gevel prachtig uitzicht biedt op de patio en de bosrand, duidelijk naar voren komt. Aan de zuidzijde ligt de vleugel met het woongedeelte met daarin de eetkamer, de keuken en de woonkamer. Deze vertrekken zijn gescheiden door houten schuifdeuren die privacy bieden en het tegelijkertijd mogelijk maken de ruimten tot een grote ruimte om te vormen. In de andere vleugel van het project vinden we twee slaapkamers, een badkamer en de toegang tot het bijgebouw, waar zich een derde slaapkamer, een kleine keuken en op de extra verdieping een studio bevindt. Alle meubels in het huis zijn ontworpen door de groep architecten.

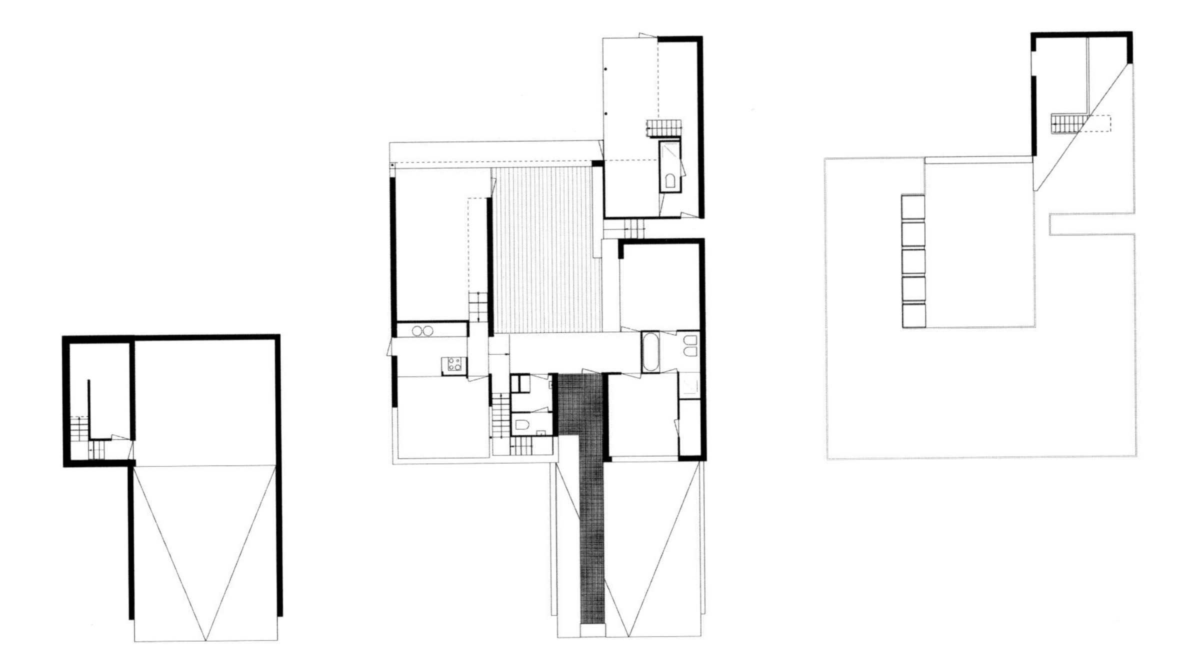

Plattegronden

De architecten hebben in beperkte mate gebruikgemaakt van materialen en kleuren. De afwerking is in zwart en wit uitgevoerd: zwarte stenen plavuizen en gepleisterde witte muren.

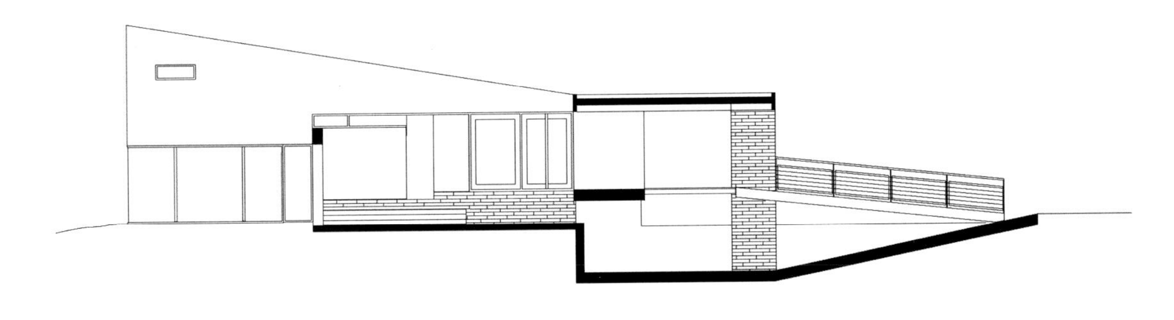

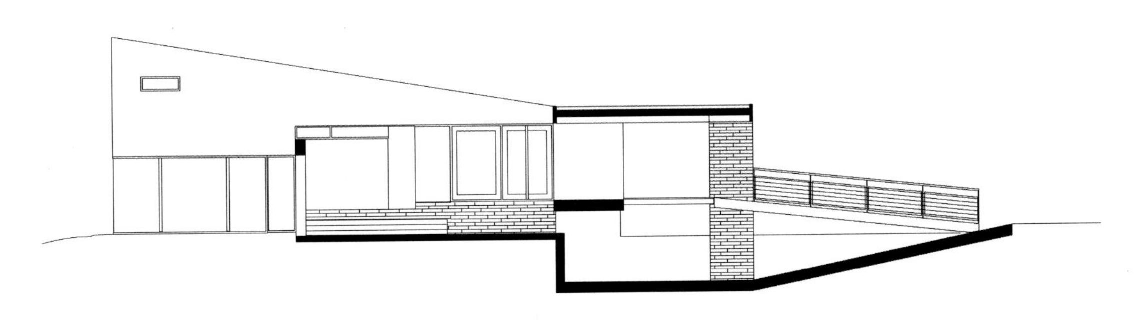

Doorsneden

Het benadrukken van de relatie van het huis met de omgeving zien we terug in de verscheidenheid van de doorsneden. De U-vorm van de plattegrond wordt aangevuld met het ontwerp van het aanzicht, dat de patio en de dialoog met de omringende natuur sterk doet uitkomen.

FAIR EVENT
116

HUIS WILLEMSEN // BORNEO-EILAND

ARCHITECTEN: FARO ARCHITECTEN **PLAATS:** BORNEO-EILAND **MEDEWERKING:** TEERENSTRA (AANNEMER)

BOUWJAAR: 2000 **OPPERVLAKTE:** 180 M^2 **FOTOGRAFIE:** CHRISTIAN RICHTERS

Het bouwplan dat West 8 Landscape Architects voor het Borneo-eiland in Amsterdam ontwierp, voorziet in zestig wooneenheden aan de waterkant. FARO Architecten behoorde tot een van de architectengroepen die een project mochten ontwikkelen op deze speciale plek.

De grootste uitdaging waar de architecten zich voor geplaatst zagen, was het verenigen van de twee eisen van de opdrachtgever: het huis moest beschikken over een garage en de benedenverdieping moest een hoogte van 3,5 meter krijgen. Gezien deze voorwaarden had men de keus uit drie mogelijkheden: een garage aan de voorgevel, een garage van 3,5 meter hoog waarbij de auto de hele ingang in beslag zou nemen, of het verplaatsen van de ingang naar een van de zijkanten.
Een uit twee gedeelten bestaande homogene gevel bleek de oplossing voor dit probleem. Op de begane grond werd gekozen voor houten jaloezieën voor zowel de deur van de garage als de voordeur, terwijl er voor de overige verdiepingen een afsluiting werd gemaakt die uit twee gedeelten bestaat: een betonnen paneel met uitsparingen aan de straatkant en een wat conventionelere gevel van houtwerk die de woning aan de achterkant afsluit. Overdag zorgt de betonnen muur voor de nodige privacy en kan er door de uitsparingen licht en frisse lucht het huis binnenkomen. 's Avonds verandert het betonnen scherm in een grote sculptuur van licht. Binnen leidt een trap naar de verschillende verdiepingen. Deze trap vormt de verbinding tussen alle woongedeelten.

Plattegronden

Uit de tekeningen blijkt hoe inventief er van diverse niveaus gebruik is gemaakt om de verschillende woonfuncties van elkaar gescheiden te houden. De trap is geplaatst bij een van de gemeenschappelijke muren, en functioneert als de spil die de verschillende woonruimten met elkaar verbindt.

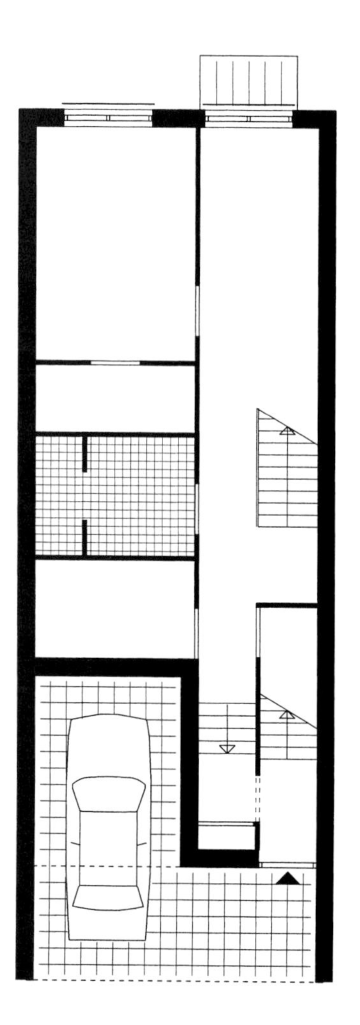

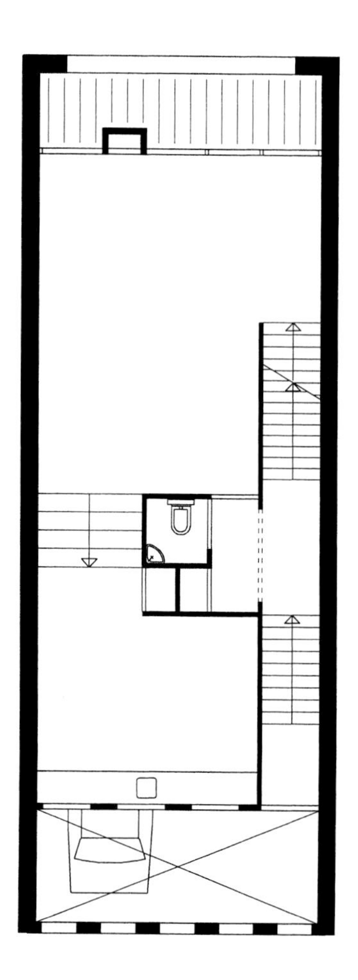

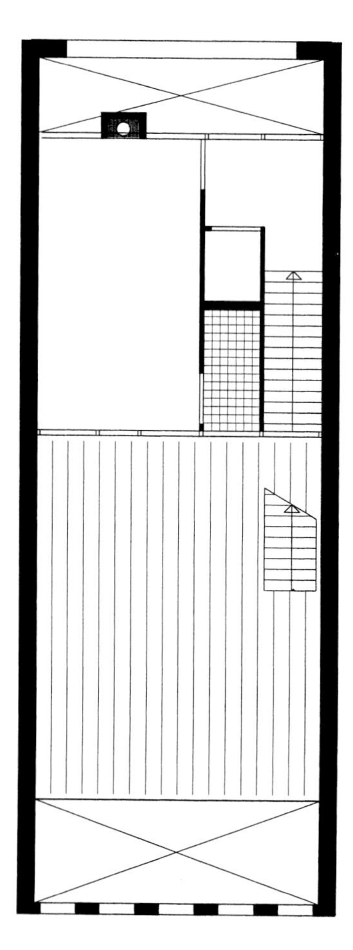

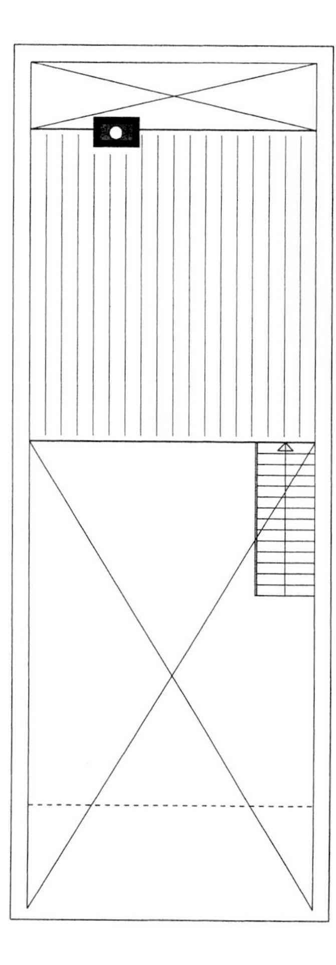

FAIR EVENT

HUIS V // NOORD-HOLLAND

ARCHITECTEN: ARCHITECTENBUREAU K2 **PLAATS:** NOORD-HOLLAND **MEDEWERKING:** CENTRUM HOUT (GEVEL), GEELHOED ENGINEERING (BOUWCONSTRUCTIE), VAN WESTEN & BAKKER (AANNEMER) **BOUWJAAR:** 2002
FOTOGRAFIE: HERMAN VAN DOORN

Huis V is rustig gelegen in een bos- en waterrijk gebied in de omgeving van Amsterdam. Het is een stuk grond dat met enige regelmaat onder water komt te staan. De opdrachtgevers, die reeds in dit gebied woonden en wilden blijven genieten van de rust, de stilte en de natuur die hen hier omringden, gaven de architecten van K2 opdracht tot het bouwen van een functionele woning die een geheel zou moeten vormen met de omgeving.

Omdat het terrein geregeld onderloopt, is het huis gebouwd op een eiland van hout waaronder het water vrij spel heeft. Deze oplossing liet het landschap onaangetast, er hoefde dus geen grond verplaatst te worden en er hoefden nauwelijks bomen of struiken gekapt te worden. Op die manier werd aan een van de belangrijkste eisen van het project, aanpassing van de constructie aan het omliggende landschap, tegemoet gekomen. Om de integratie van het huis in het landschap te benadrukken werd gekozen voor passende materialen, zoals het hout waarmee de buitenmuren bijna geheel zijn bedekt of het glas waarin de kleuren en de vormen van de omliggende bomen zich weerspiegelen.
Bij de indeling van de woning is gehoor gegeven aan de wensen van de opdrachtgevers op het gebied van privacy en openheid. Zij wilden graag een huis zonder scheidingswanden, maar tegelijkertijd wilden ze voor alle verschillende huiselijke bezigheden aparte vertrekken. De door de architecten voorgestelde oplossing van dit probleem bestond uit het creëren van ingesprongen gedeelten op de benedenverdieping, gecombineerd met arcades en gangen om de verschillende activiteiten te scheiden. De benedenverdieping bestaat uit een reeks vertrekken waarin zich de woongedeelten bevinden die overdag gebruikt worden, en loodrecht daarop staan het terras en een slaapkamer. Op de eerste verdieping bevinden zich een tweede slaapkamer en een studio, beide met uitzicht op het bos.

Situering

De ligging van de woning temidden van de bomen had vanaf het begin grote invloed op de ontwikkeling van het project, aangezien het huis een geheel met de omgeving diende te vormen.

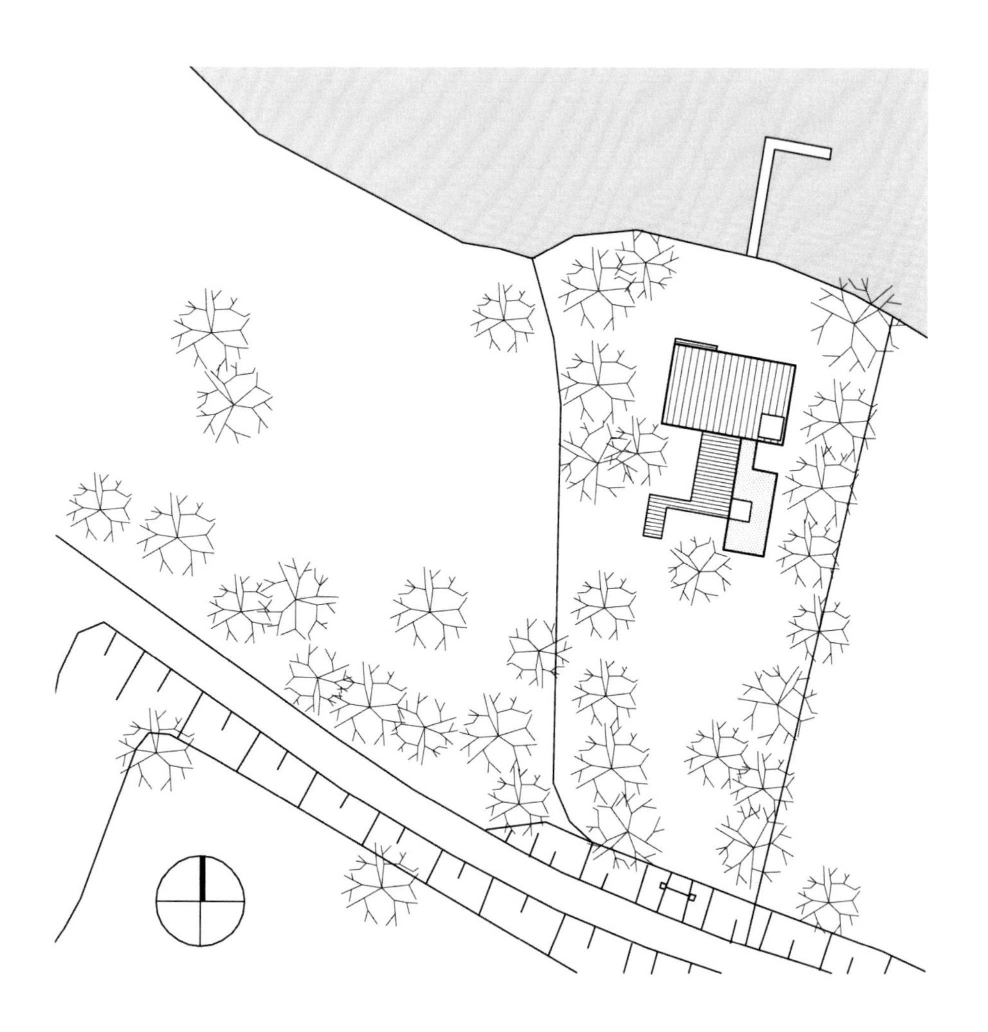

WOONHUIS MET STUDIO // ROTTERDAM

ARCHITECTEN: MECANOO ARCHITECTEN **PLAATS:** ROTTERDAM **MEDEWERKING:** VAN OMME & DE GROOT (AANNEMER)

BOUWJAAR: 1998 **FOTOGRAFIE:** CHRISTIAN RICHTERS

Dit huis is gebouwd aan de oever van de Kralingse Plas in Rotterdam, door twee architecten van architectenbureau Mecanoo. Woningen van architecten zelf zijn doorgaans projecten waarin de ideeën en wensen van de opdrachtgever en de ontwerper samengesmolten zijn in het verlangen de ideale ruimte te creëren. Dit huis is hier een goed voorbeeld van.

Het huis staat op de kop van een rij huizen uit de 19e eeuw, en is omgeven door vrijstaande woonhuizen en appartementenblokken ontworpen door enkele van de belangrijkste vertegenwoordigers van de Nederlandse moderne architectuur. De denkbeeldige as waarop het huis is geplaatst bepaalt het zicht op het water en op een parallel aan de rij huizen lopende vaart: een dubbele richtingsfactor die van doorslaggevende invloed is geweest op de indeling van de ruimten en het ontwerp van de gevels.

Het huis is opzettelijk losgehouden van de oudere naastgelegen huizen. In de steeg die zo is ontstaan bevinden zich op de begane grond „achterdeuren", voor het overige is dit een blinde muur. Het hele huis is, zowel fysiek als visueel, een ruimtelijk continuüm van trappen, gangen en dubbele ruimten, waardoor de woning op verschillende manieren doorlopen kan worden. De ruimten staan zowel verticaal als horizontaal met elkaar in verbinding. Er is gebruik gemaakt van eenvoudige materialen als staal, glas, beton, hout en bamboe, die op basis van kleur en structuur zorgvuldig zijn gecombineerd,waardoor er een unieke leefomgeving gecreëerd is.

WONING VOS // AMSTERDAM

ARCHITECT: KOEN VAN VELSEN **PLAATS:** AMSTERDAM **BOUWJAAR:** 1999 **OPPERVLAKTE:** 140 M^2

FOTOGRAFIE: CHRISTIAN RICHTERS

Woning Vos staat in een rij huizen aan een van de grachten in Amsterdam. Het huis werd ontworpen door Koen van Velsen en is een voortreffelijk voorbeeld van rationalistisch meesterschap en compositorische neutraliteit.

Omdat deze woning onderdeel is van een rij huizen, moest de ruimte in de hoogte worden gezocht. Zo kwam de architect op het idee een geheel verticaal volume te ontwerpen dat een eenheid vormt met een aantal grote, symmetrische horizontale openingen die een aangename visuele spanning en dynamiek oproepen. Bovendien wordt hierdoor de indruk versterkt dat de gevels twee grote etalages zijn waarin zich de huiselijke bezigheden afspelen. Het huis kan gezien worden als een doos van doorschijnend materiaal, die in de avondschemering als gevolg van het kunstlicht de gedaante aanneemt van een grote lamp. De gevel aan de straatkant wordt alleen onderbroken door de deur die toegang geeft tot de garage. Als deze openslaande deur gesloten is, blijft hij onopgemerkt. De deur leidt naar de garage en de hal, waar een hoge boom, die via een gat in het plafond tot de tweede verdieping reikt, een prominente plaats inneemt.

De woning strekt zich uit over vier niveaus: de kelder – met een opslagruimte, een badkamer en een studio –, de begane grond – waar zich de ingang, de garage, een slaapkamer en een badkamer bevinden –, de eerste verdieping – met de keuken en de eetkamer – en tot slot de tweede verdieping, die bestaat uit een grote woonruimte.

Plattegronden

Aan de hand van een plattegrond van de verdiepingen wordt de eenvoud van de indeling duidelijk: centraal gesitueerd sanitair, met ruimten die aan beide kanten tot aan de gevel reiken.

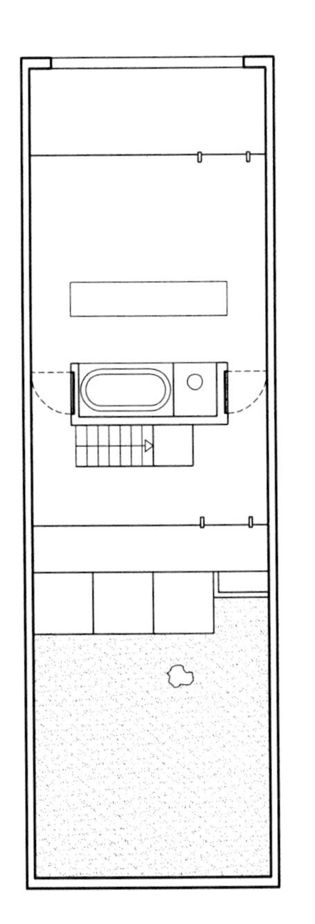

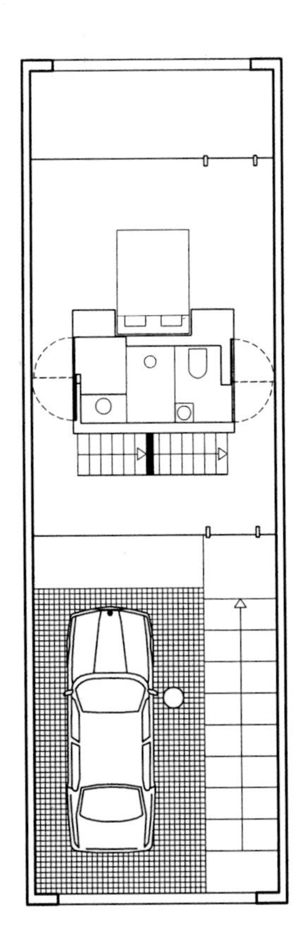

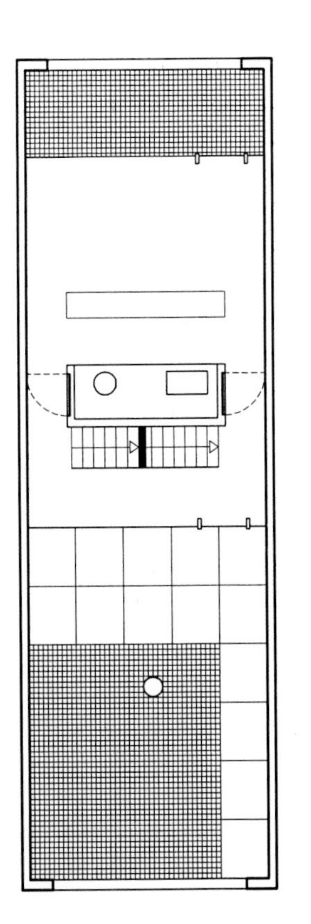

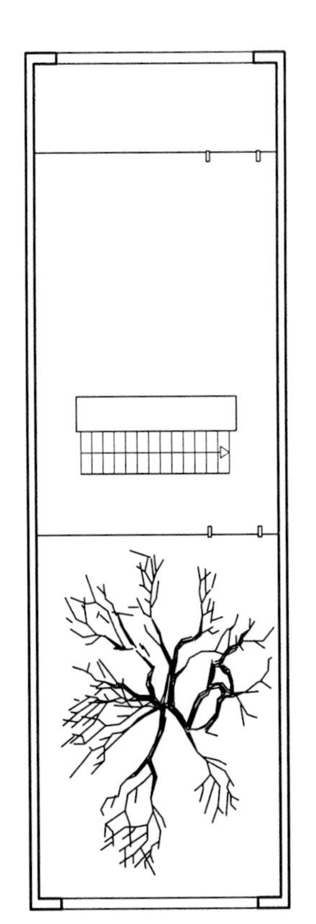

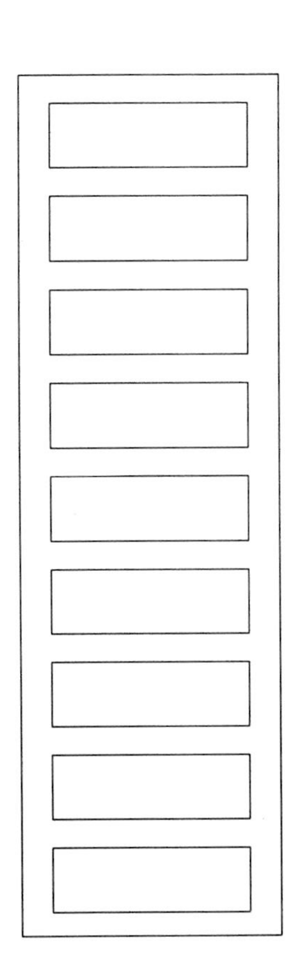

Aanzichten en doorsnede

De indeling van de verdiepingen komt terug in het ontwerp van de voor- en de achtergevel: deze bestaan uit eenvoudige, geometrische lijnen en zijn bijna gelijk aan elkaar.

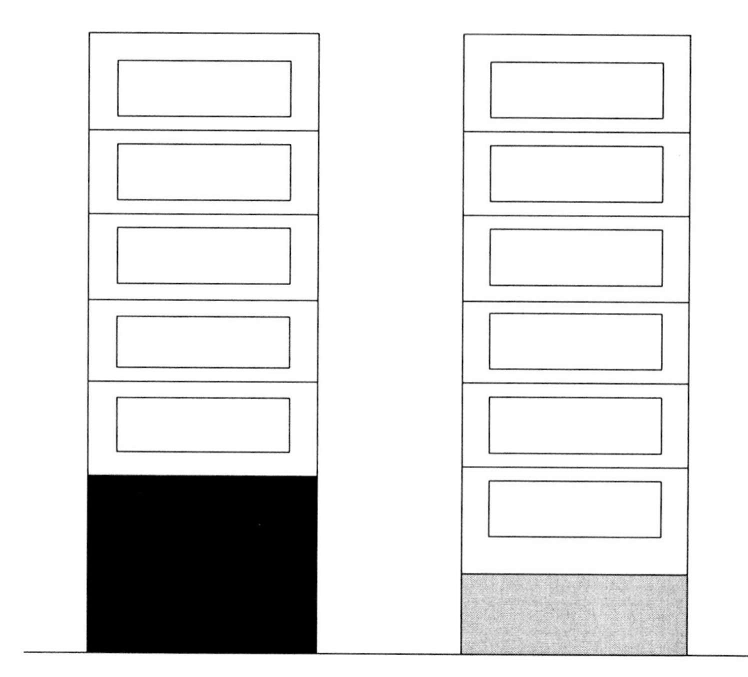

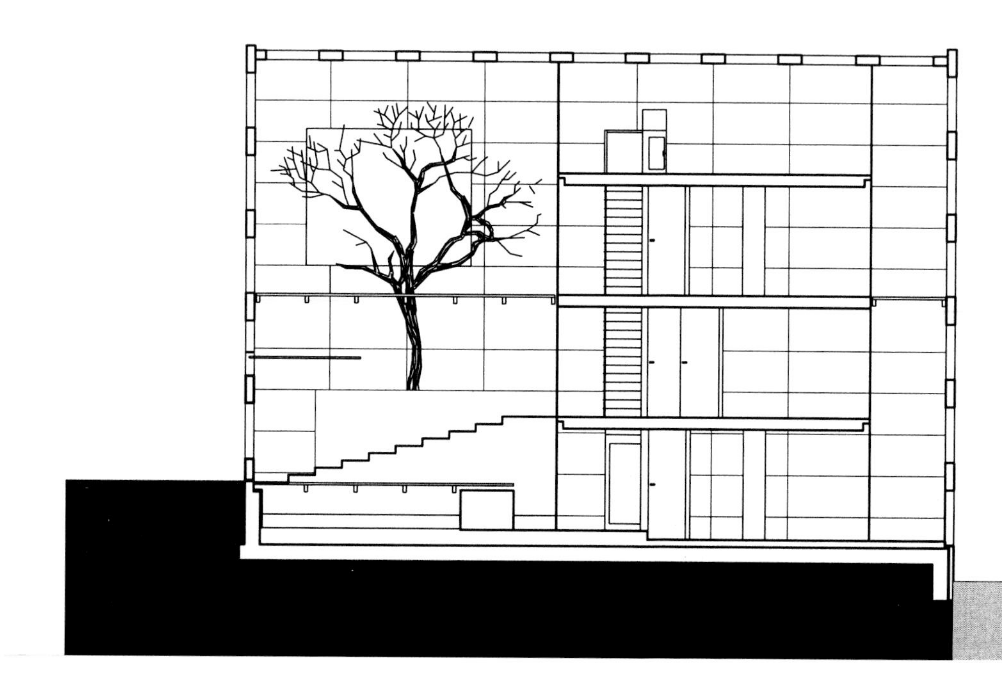

HET GLAZEN HUIS // ALMELO

ARCHITECT: DIRK JAN POSTEL **PLAATS:** ALMELO **BOUWJAAR:** 1999 **FOTOGRAFIE:** CHRISTIAN RICHTERS

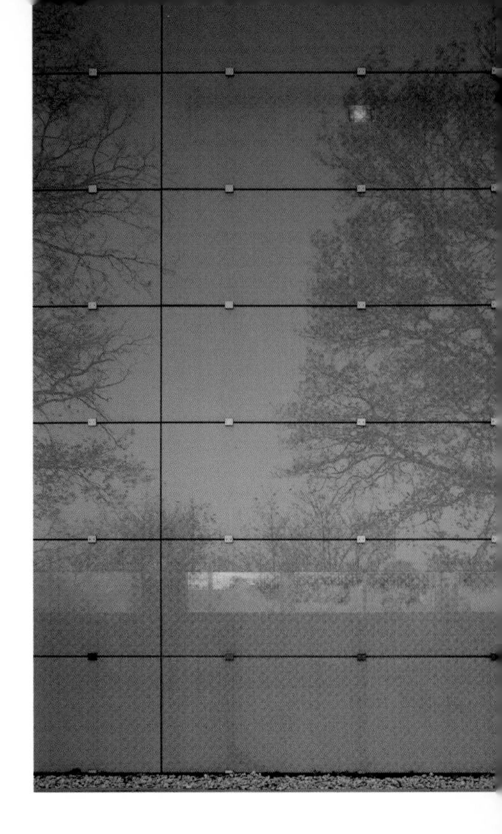

Dit project is gebaseerd op een zichzelf herhalende module ter grootte van een gewone slaapkamer, waarvan de invloed zich doet gelden op zowel de constructie en de indeling van de woning als op de compositorische cadans van het geheel aan ruimten.

Deze sobere container voldoet met gemak aan de eisen die aan het project, dat op een conventionele manier en bijna zonder enige afwisseling toe te passen is neergezet, waren gesteld. Deze soberheid geldt duidelijk ook voor de buitenkant. De gevel aan de straatkant en beide zijgevels zijn met platen gezeefdrukt glas bekleed, lamellen met een ventilerende functie, waarbij de positionering en grootte van de uitsparingen verborgen blijven. Deze bekleding wordt alleen onderbroken door een klein portaal bij de ingang en door de deur van de garage, die het antwoord vormen op de vraag hoe binnen te komen. Overdag weerspiegelt de omgeving zich in de gevel; 's avonds maakt het licht dat in huis schijnt het leven zichtbaar dat zich daar afspeelt. Naar de tuin toe opent dit koude, gesloten blok zich daarentegen. Daar vormt een aantal grote ramen, die ook zijn ontworpen volgens de modulestructuur, een vloeiende verbinding tussen binnen en buiten. De rest van deze gevel is bedekt met lichte houten platen, die functioneren als ventilerende gevel. Dit is de vriendelijkste zijde van het huis, een vriendelijkheid die terugkomt in de met berkenhout bedekte muren binnen in het huis.
De uitgebalanceerde constructie, de strikte toepassing van de modulestructuur en een zekere vorm van nieuw minimalisme, vervolmaken het beeld van dit kleine gebouw dat onmiskenbaar de wil uitstraalt met zo min mogelijk beslissingen een taak te volbrengen en daarmee een eigen onafhankelijke plek opeist.

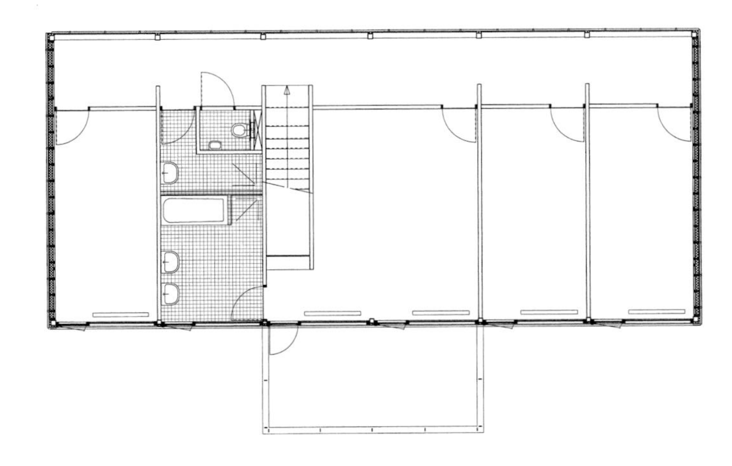

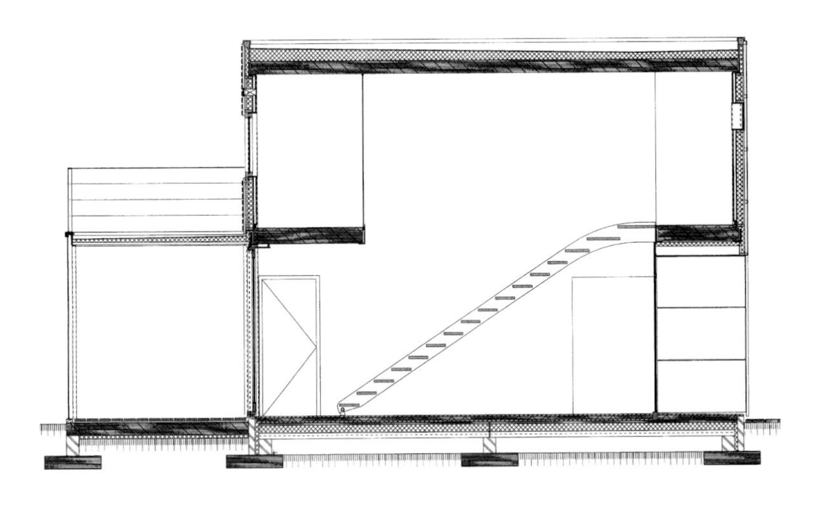

Plattegronden

Het project kent een alledaagse indeling van de ruimten: de woongedeelten op de begane grond en de slaapkamers op de eerste verdieping. Een van de modulen op de begane grond omvat de garage.

Doorsnede

De complexe indruk die de kap van de woning maakt, blijkt op de tekening van een grote eenvoud: de doorsnede omvat de twee verdiepingen en het vooruitspringende deel op het bovenste niveau, waar zich een terras bevindt.

WALL HOUSE // GRONINGEN

ARCHITECT: JOHN HEJDUK **PLAATS:** GRONINGEN **BOUWJAAR:** 2002 **FOTOGRAFIE:** CHRISTIAN RICHTERS

Dit huis had eigenlijk gebouwd moeten worden op een kavel in de Noordamerikaanse staat Connecticut, als onderdeel van een serie theoretische en experimentele projecten waarmee John Hejduk aan het begin van de jaren zeventig was begonnen. Na de dood van deze architect werd het gebouw uiteindelijk gerealiseerd op initiatief van de Groningse gemeenteraad, die hiertoe in de buitenwijken van Groningen een perceel had aangewezen.

Ondanks dat het project ontworpen is om gebouwd te worden op open terrein, ziet het zich nu gedwongen tot een vreedzame coëxistentie met andere gebouwen in een van de dichtbebouwde Nederlandse steden. In deze situatie is het driedimensionale karakter van het huis verloren gegaan, aangezien het niet meer los van de omgeving kan worden waargenomen. Gelukkig ligt het huis aan de oever van een meer, waardoor het wel in zijn geheel te bewonderen is.

In het Wall House wordt de muur als architectonisch element aan onderzoek onderworpen; deze heeft tegelijkertijd de functie van barrière en verbindingsstuk. Dit gebruik van de muur als architectonisch element vindt zowel zijn weerslag in de architectuur van de constructie als in de levensstijl van de bewoners. De kamers in het huis zijn in de muur geplaatst en toegang tot deze vertrekken kan alleen verkregen worden door via een wenteltrap die aan de muur bevestigd is door de muur heen te gaan. Bij het doorlopen van het huis is de aanzienlijke dikte van de muur (1,5 meter) vanuit verschillende hoeken duidelijk zichtbaar, waardoor het belang van de rol die deze muur in het project speelt nog wordt versterkt.

Hejduk heeft met dit project zijn twijfel willen uiten over enkele van de grondprincipes van de modernistische beweging, die pleitte voor doorzichtigheid en flexibiliteit. Hij ontwierp een comfortabele en functionele woning die op definitieve en onwrikbare wijze in tweeën gedeeld is.

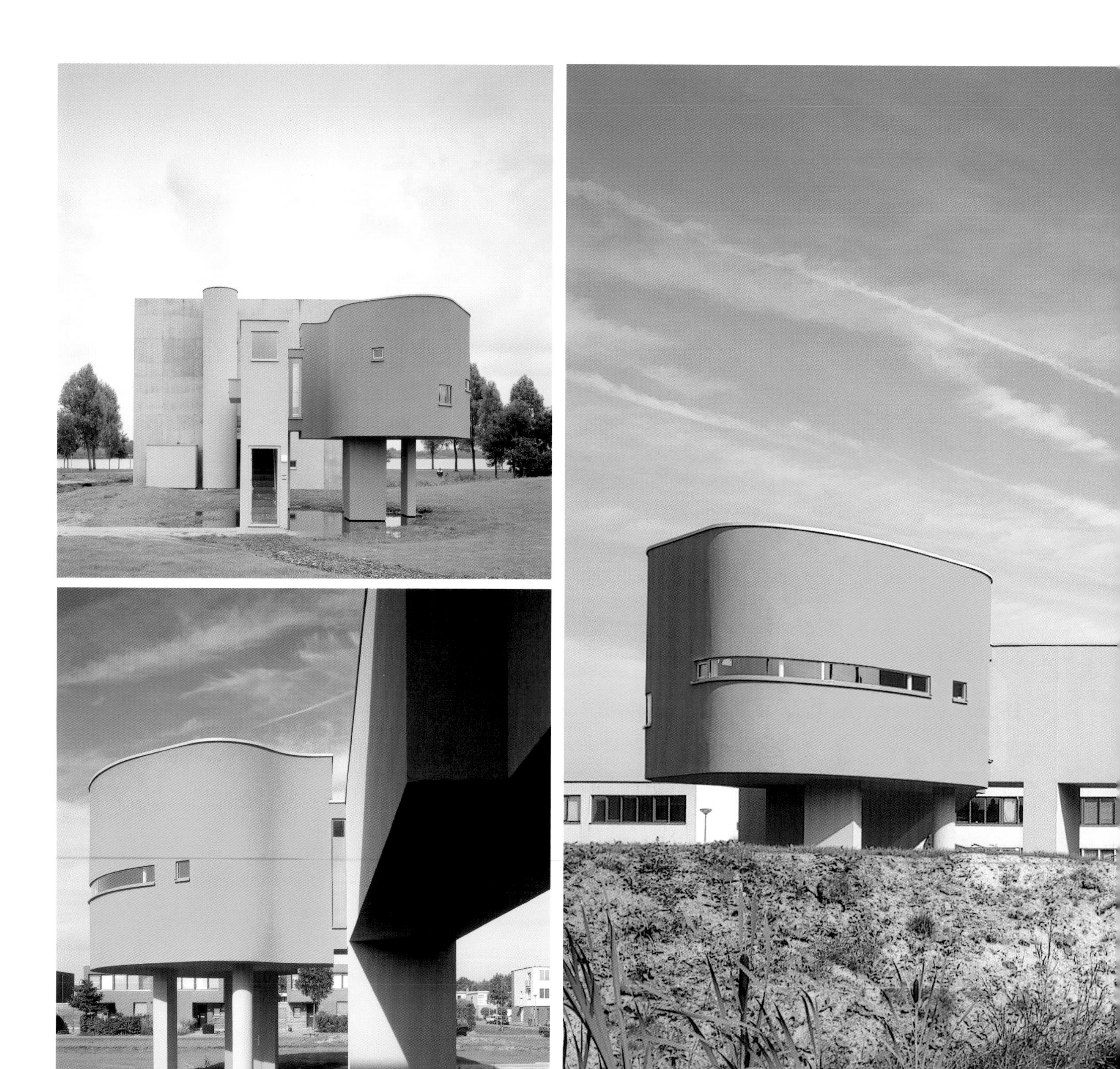

KAVEL 33 // AMSTERDAM

ARCHITECTEN: DE ARCHITECTENGROEP **PLAATS:** AMSTERDAM **MEDEWERKING:** D3BN (BOUWKUNDIGE CONSTRUCTIE), BOUWBEDRIJF DE NIJS & ZONEN **BOUWJAAR:** 2000 **OPPERVLAKTE:** 260 M^2 **FOTOGRAFIE:** CHRISTIAN RICHTERS

Deze woning is in opdracht van een particulier bedrijf gebouwd. Het pand staat in het oostelijk havengebied van Amsterdam en maakt deel uit van een complex van wooneenheden aan het water in het nieuwe woongebied Borneo-Sporenburg.

De taak waarvoor de architecten zich zagen gesteld, was van ingewikkelde aard: een perceel van slechts 3,8 meter breed en 16 meter diep, een uitgebreid woningeisenpakket waaronder het opnemen van een grote werkruimte. Omdat het geheel ook nog binnen de – beperkte – begroting moest blijven, vormde het project een grote uitdaging voor de ontwerpers.
Om aan alle eisen tegemoet te komen moest de beschikbare ruimte ten volle benut worden. Er werden slechts twee kleine patio's in het ontwerp opgenomen, waardoor het daglicht tot in het hart van de verdiepingen kan komen. Vanwege de gecombineerde woon- en werkfunctie van het huis, werd voorzien in twee onafhankelijke trappen: een trap die van de straat direct naar de studio op de bovenste verdieping leidt, en een trap die de verbinding vormt tussen de over de drie lagen verdeelde woonruimten.
Het lastig te realiseren eisenpakket en de beperkte begroting van het project hebben geleid tot een zeer eenvoudige constructie bestaande uit zo goed als kale betonnen wanden en vloeren. De gevel bestaat uit een combinatie van houtwerk en grote glazen panelen. Dit sobere gebruik van materialen contrasteert met de warme kleuren van het meubilair en de in levendige tinten uitgevoerde inrichting.

Plattegronden

Het project bestaat uit drie woonlagen die met elkaar verbonden zijn via twee trappen: een rechte trap die de woongedeelten van het huis met elkaar verbindt en een wenteltrap die de verbinding vormt tussen de twee verdiepingen waarin de studio gevestigd is.

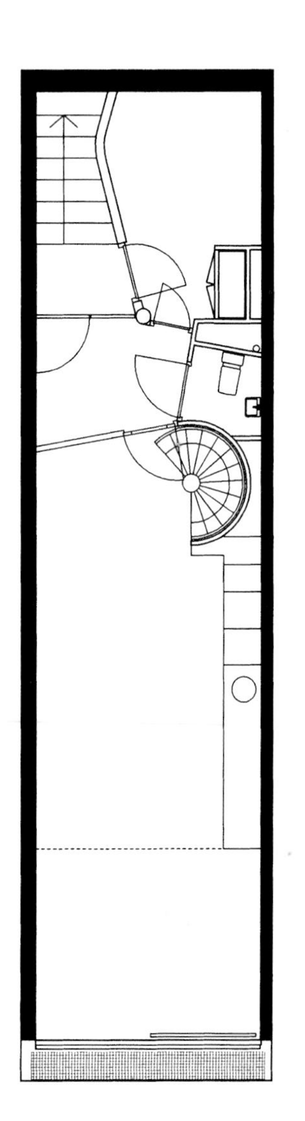

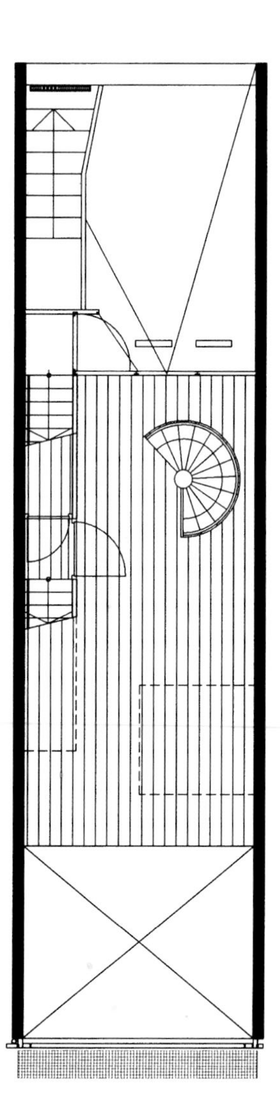

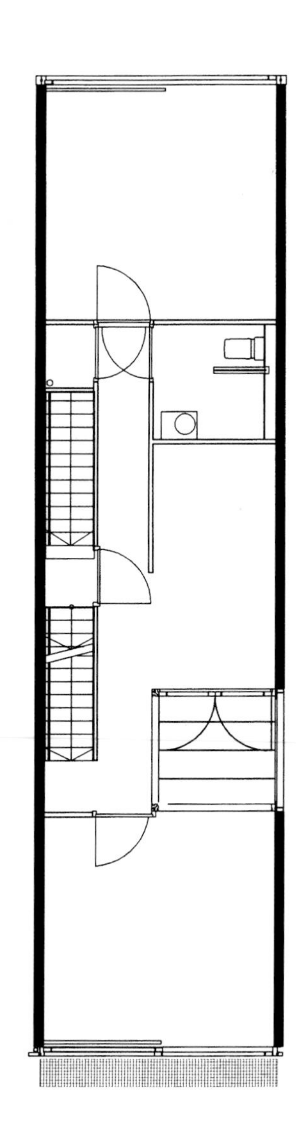

WOONHUIS VELUWSE BOSSEN // WAGENINGEN

ARCHITECTEN: 123 DV - LIONG LIE **PLAATS:** WAGENINGEN **MEDEWERKING:** KEES WILLEM NEELEMAN (STRUCTUUR), S & W CONSULTANCY (BOUWFYSICA) **BOUWJAAR:** 1999 **FOTOGRAFIE:** BRAKKEE & SCAGLIOLA

De bijzondere ligging van dit huis, midden in het bos, is van begin tot eind van invloed geweest op het ontwerpproces, dat werd uitgevoerd door de architecten van 123 DV: van de manier waarop het huis op het terrein moest worden neergezet tot de indeling van de ruimten, de keuze van materialen en de afwerking.

Een van de belangrijkste doelstellingen van het project was het huis helemaal in de omgeving te laten opgaan, zodat de woning aan de buitenkant geheel met hout is bekleed. Aan de binnenkant daarentegen werd gekozen voor abstractere materialen zoals glas, roestvrij staal en gips, materialen zonder enige relatie met de omgeving. Het hout komt opnieuw terug in een van de ruimten van het huis, en heeft de functie van het creëren van warmte en het benadrukken van de relatie met de afwerking aan de buitenkant. Voor de vloer is natuursteen gekozen. Hetzelfde materiaal is gebruikt voor de muren van de badkamer, waarmee de associatie met kleine watervalletjes wordt gewekt.
Ook bij de indeling van de ruimten is de wens de relatie tussen de bezigheden in huis aan de ene, en de natuur en het uitzicht op het bos aan de andere kant te benadrukken, merkbaar van invloed geweest. De belangrijkste ruimten, zoals de zitkamer, de studio en de muziekkamer zijn geplaatst rondom een patio die in directe verbinding staat met het omliggende landschap en die zo een overgangszone vormt tussen de binnen- en de buitenkant van het huis. Als het weer het toelaat, kan deze patio gebruikt worden als een uitbreiding van de woonkamer in de openlucht.

Situering

De ligging van het huis tussen de bomen bood de mogelijkheid tot het maken van grote openingen in een van de gevels van het huis, waarmee de relatie tot het omliggende landschap werd benadrukt.

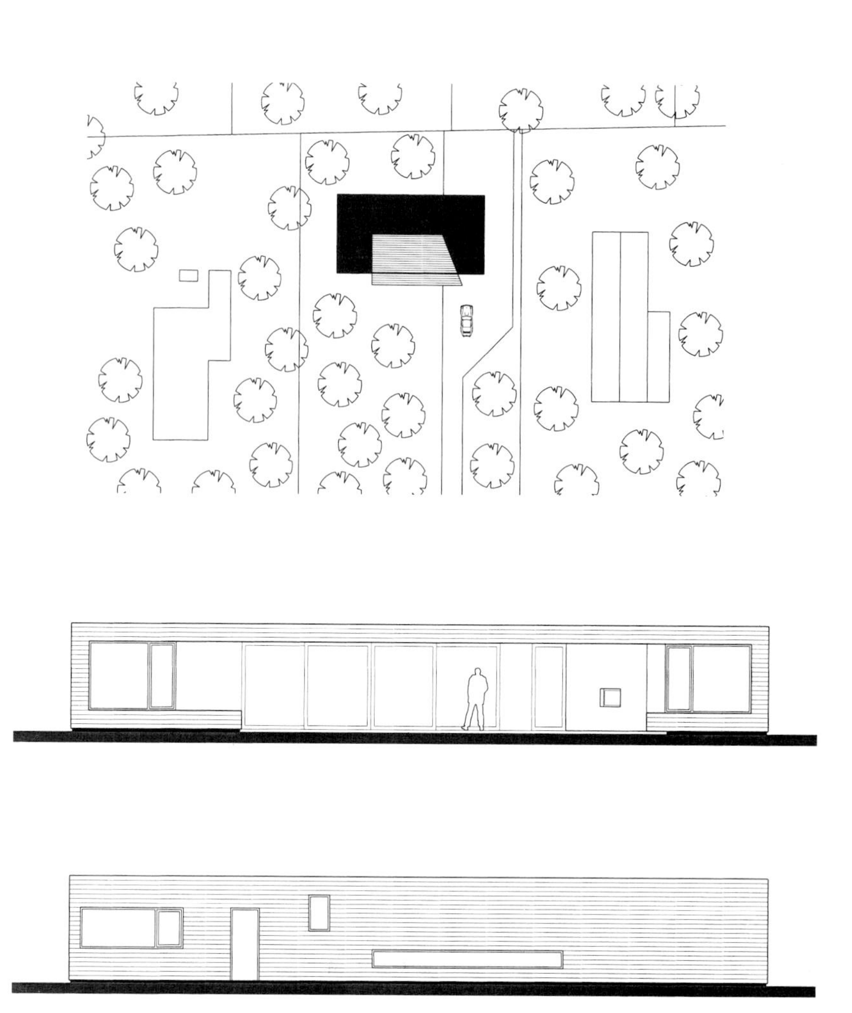

Aanzichten

De aanzichten zijn conform de ligging van het project: grote ramen aan de zuidkant en kleine openingen aan de noordkant, waar het uitzicht niet bijzonder te noemen is.

Plattegrond

De opdrachtgevers wilden een eenvoudige en praktische indeling van de ruimten, zodat er voor slechts een niveau en een tussenverdieping is gekozen.

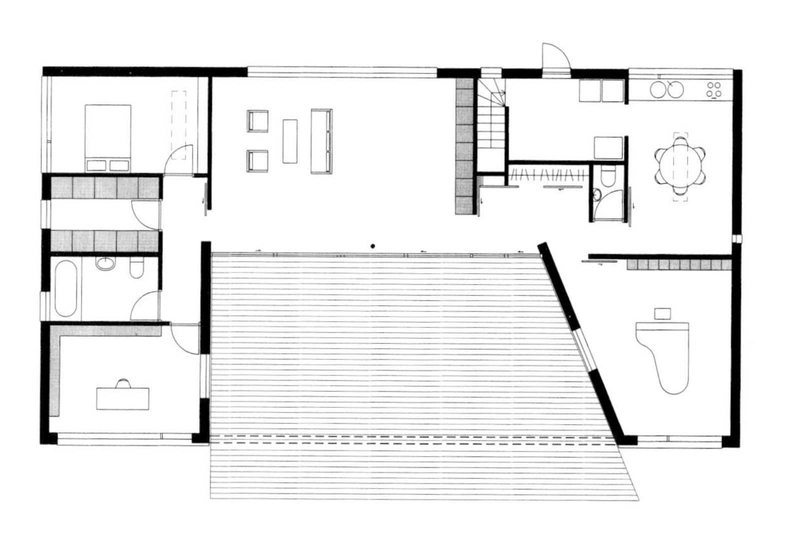

81

HUIS HAARLEM // HAARLEM

ARCHITECTEN: GREINER VAN GOOR ARCHITECTEN **PLAATS:** HAARLEM **MEDEWERKING:** BURO MIEN RUYS TUIN (TUINARCHITECTUUR) **BOUWJAAR:** 2000 **FOTOGRAFIE:** FRANK GREINER

Na meer dan twintig jaar in een groot huis met een tuin te hebben gewoond, besloten de opdrachtgevers van dit project, een gepensioneerd echtpaar, om op hetzelfde terrein een kleiner, comfortabeler en gemakkelijker te onderhouden huis te bouwen waarin ze rustig oud konden worden.

Het bestaande huis, dat in de jaren dertig van de vorige eeuw werd ontworpen door de toenmalige eigenaar, een bekend architect, was te groot en niet heel praktisch. Het nieuwe huis dat de opdrachtgevers zich wensten, moest beschikken over energiebesparende voorzieningen en weinig onderhoud vergen. Met betrekking tot de indeling wilden ze dat er in het woongedeelte op de begane grond een kleine muziekkamer zou worden opgenomen, die bij gelegenheid tot slaapkamer zou kunnen dienen. Grenzend aan deze kamer is een badkamer gebouwd. Verder zou de begane grond een keuken, een eetkamer, wasgelegenheid, een garage en een opbergruimte voor gereedschap en tuinameublement moeten omvatten. Op de eerste verdieping werden twee werkkamers gepland en een slaapkamer met aangrenzende badkamer, identiek aan de kamer met badkamer op de begane grond. Een van de overige voorwaarden was de bouw van een extra trapgat, groot genoeg om in de toekomst een lift te kunnen plaatsen. Om tegemoet te komen aan de eisen van de opdrachtgevers en tegelijkertijd het gebouw in overeenstemming met de omgeving te plaatsen, heeft Onno Greiner de woning gebouwd uitgaande van een diagonaal die hem werd ingegeven door een grote boom die op het terrein staat. Twee grote muren opgetrokken uit glazen panelen in de vorm van een Z lopen uit in de tuin.

Aanzichten en doorsneden

Het project is het resultaat van de samenwerking tussen het architectenbureau en de opdrachtgevers, die actief betrokken zijn geweest in het proces.

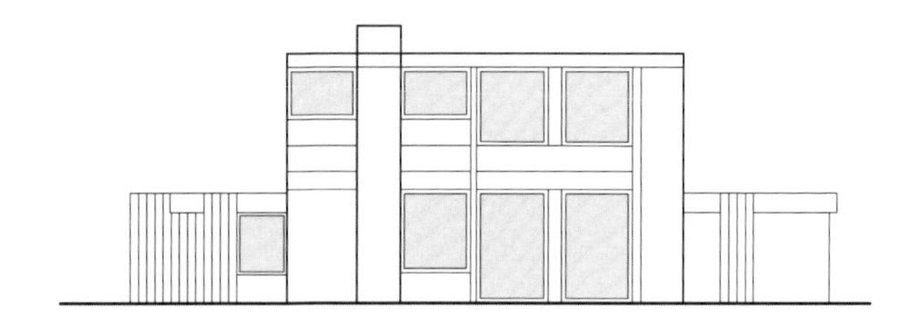

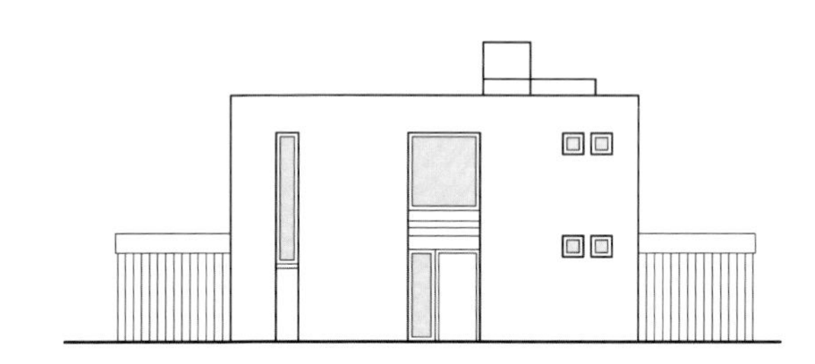

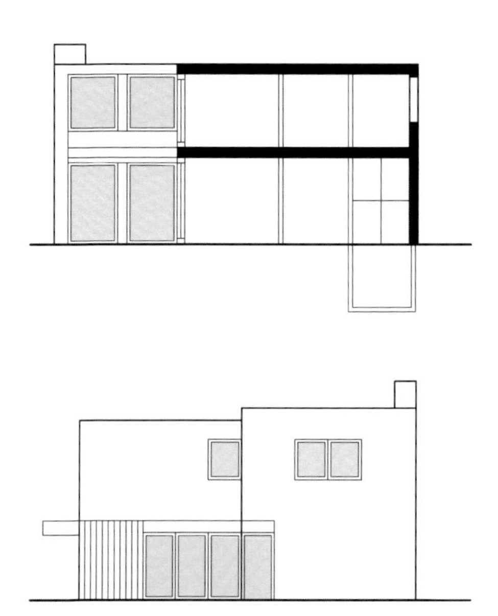

Plattegronden

De indeling van de woning is sterk beïnvloed door de wensen van de opdrachtgevers, die een comfortabel en functioneel huis verlangden.

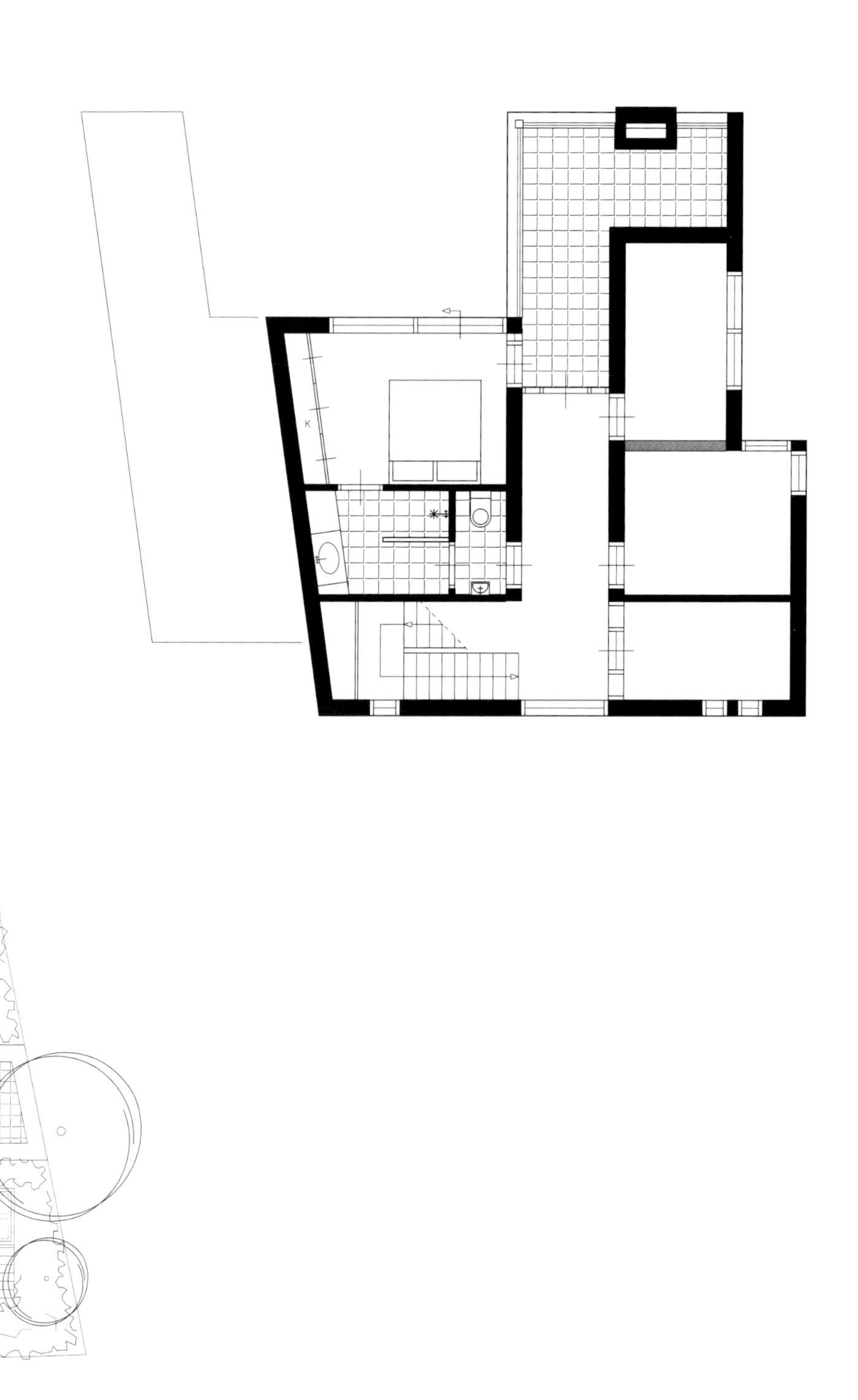

MÖBIUSHUIS // HET GOOI

ARCHITECTEN: VAN BERKEL EN BOS / UN STUDIO **PLAATS:** HET GOOI **BOUWJAAR:** 1998
FOTOGRAFIE: CHRISTIAN RICHTERS

Het Möbiushuis vraagt om een andere perceptie van het begrip woning: de ene ruimte volgt op de andere, zonder dat er duidelijke grenzen tussen de vertrekken zijn te onderscheiden. Dit ontbreken van grenzen heeft soms invloed op de aard en functionaliteit van de ruimten.

In het huis vloeien indeling, looprichting en structuur naadloos in elkaar over. De woning verbindt en verstrengelt alle activiteiten die zich daar afspelen, zodat in deze spiraalsgewijze setting het werk, de sociale contacten, het gezinsleven en het leven van het individu hun plek hebben. Het constitutieve diagram van het huis bevat twee gesloten lineaire banen die telkens samenkomen in de gezamenlijke ruimten, waarmee duidelijk wordt gemaakt dat twee personen samen een huis kunnen delen, onafhankelijk van elkaar kunnen blijven en elkaar in de gemeenschappelijke ruimten tegenkomen. Het idee van twee mensen die ieder hun eigen leven leiden, maar alleen bepaalde momenten delen en soms zelfs elkaars functies overnemen, strekt zich ook uit tot het gebruik van materialen en de constructie van het huis. De bewegingsstructuur beïnvloedt tevens de verdeling van de twee elementaire materialen die voor het gebouw gebruikt zijn: beton en glas, waarvan de toepassing onderling wisselt. Beton werd gebruikt voor de meubels; het glas voor de gevels en voor sommige ruimten binnen in het huis. In het Möbiushuis is de indeling van de woning gebruikt als een experimenteel terrein voor bevoorrechten waar de architectendromen van het fin de siècle werkelijkheid zijn geworden. Zo beschouwd is dit project een duidelijke verwezenlijking van de theorieën die door dit Nederlandse team zijn ontwikkeld. Een team dat een verrassend gebouw heeft verwezenlijkt, waarin in de verschillende ruimten vorm, functie en tijd zijn samengebracht, wat echter niet heeft verhinderd dat er een warme, gedistingeerde atmosfeer is gecreëerd.

Plattegronden

Uit de plattegronden van dit bijzondere huis blijken de concepten die de leidraad hebben gevormd bij het hele ontwerpproces: continuïteit, fluïditeit, flexibiliteit en de relatie tussen de ruimten, zowel onderling als in samenhang met het exterieur van de woning.

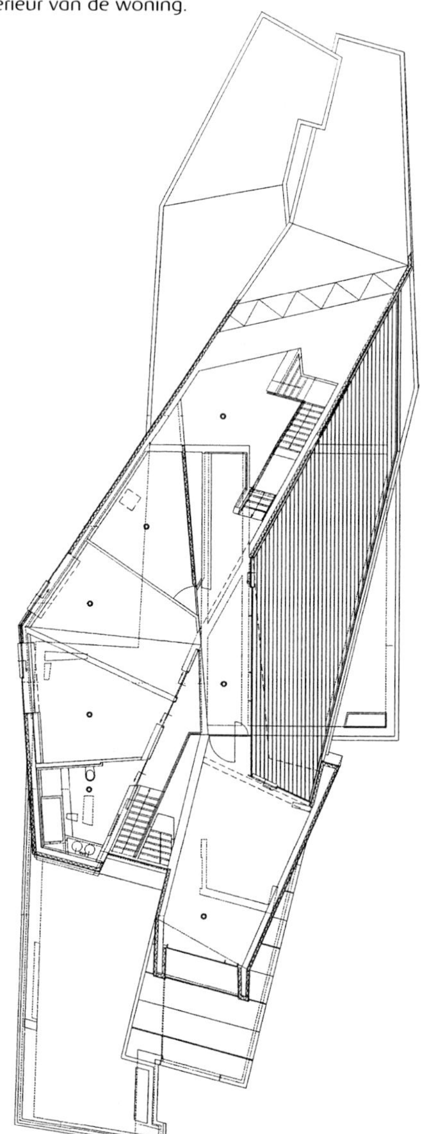

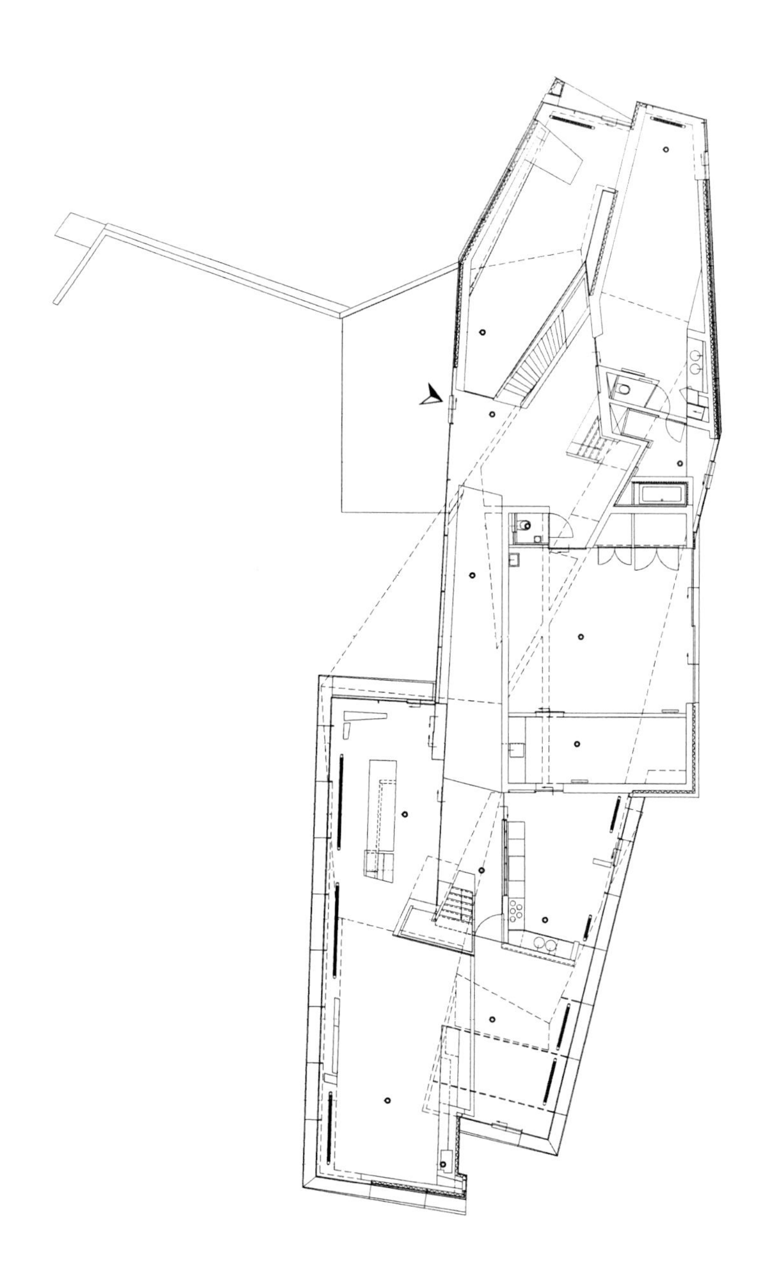

HUIS VALERIUSSTRAAT // AMSTERDAM

ARCHITECTEN: DE ARCHITECTENGROEP **PLAATS:** AMSTERDAM **MEDEWERKING:** VALK LISSERBROEK (AANNEMER), STRACKEE (BOUWTECHNIEK) **BOUWJAAR:** 2002 **OPPERVLAKTE:** 180 M^2 **FOTOGRAFIE:** CHRISTIAN RICHTERS

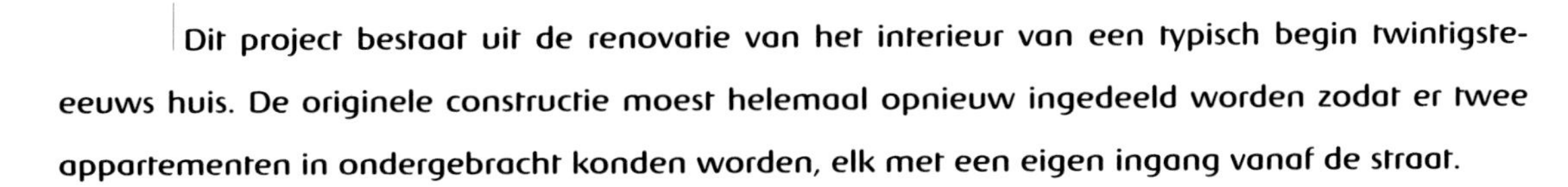

Dit project bestaat uit de renovatie van het interieur van een typisch begin twintigsteeeuws huis. De originele constructie moest helemaal opnieuw ingedeeld worden zodat er twee appartementen in ondergebracht konden worden, elk met een eigen ingang vanaf de straat.

Een van de twee woningen bestaat uit drie verdiepingen en staat in verbinding met de achtertuin. Het belangrijkste doel van het project was de bestaande donkere en krappe ruimten zo in te delen dat er lichte en ruime vertrekken voor in de plaats zouden komen. Dit echter zonder de structuur van de originele constructie – twee portieken, waarvan er een flink breder was dan de ander – te veranderen. Door de vloeren van de oude gangen op de hoger gelegen verdiepingen weg te halen, werden deze smalle stukken omgetoverd tot een spectaculaire, verticale, 9 meter hoge hal, die alle ruimten van het appartement met elkaar verbindt. De deuren die vroeger op de gangen uitkwamen zijn ramen geworden, die op de grote vestibule uitkijken. Om het gevoel van openheid nog te benadrukken, werden over een breed vlak grote schuifdeuren geplaatst, waardoor de ruimten met elkaar in verbinding staan en er tegelijkertijd de mogelijkheid bestaat een intieme sfeer te creëren. Er is getracht de brede portiek zo licht en vrij te maken als maar mogelijk was. Teneinde de woning zonder duidelijke waarneembare grenzen onder te verdelen, werden er verscheidene kunstgrepen toegepast, zoals op de bovenste verdieping, waar de badkamer werd ontworpen als een meubelstuk dat niet helemaal tot het plafond reikt en de scheiding vormt tussen de twee slaapkamers zonder dat de continuïteit van de woonlaag daardoor wordt aangetast.

Doorsneden

De draagmuur in de lengterichting van de vloer bleef behouden, maar hierin werden verschillende openingen gemaakt om een open karakter te creëren.

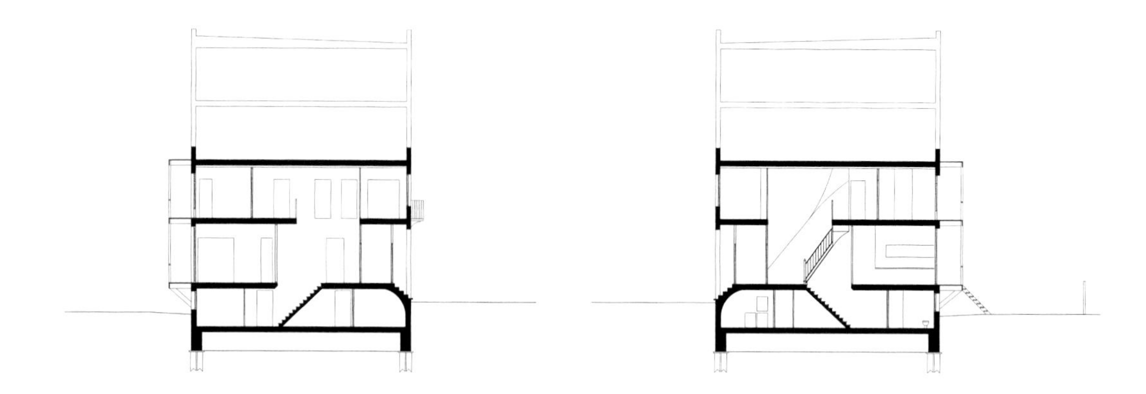

Plattegronden

Uit de plattegronden komt duidelijk de opzet van de architecten naar voren om het oude gebouw drastisch aan te passen. Alle muren werden weggehaald om tussen de verschillende vertrekken samenhang te creëren.

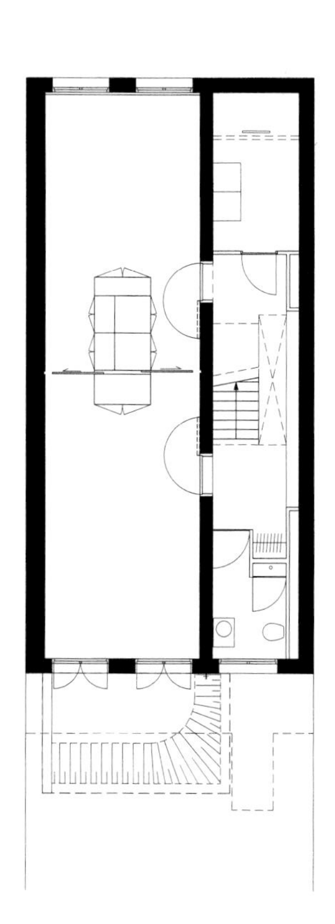

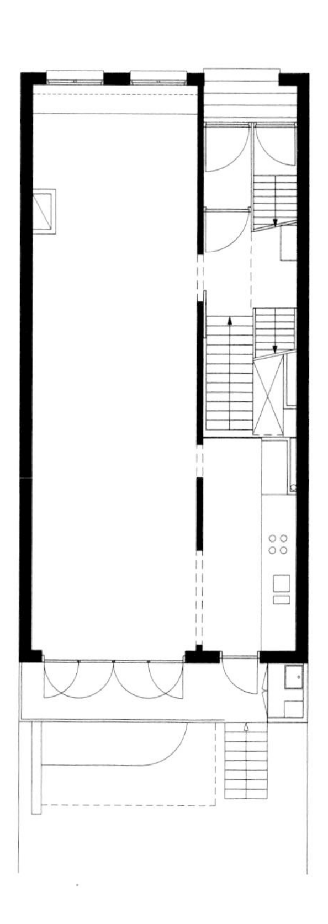

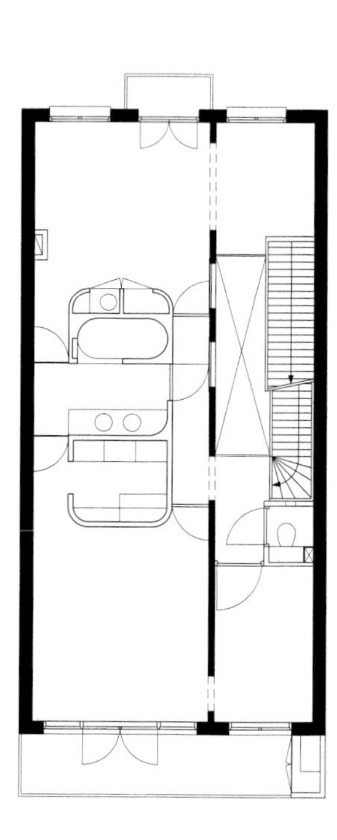

VILLA PSYCHE // ALMERE

ARCHITECTEN: RENÉ VAN ZUUK ARCHITECTEN **PLAATS:** ALMERE **MEDEWERKING:** MARJO KORNER (PROMOTOR)
BOUWJAAR: 1992 **FOTOGRAFIE:** HERMAN VAN DOORN

Na het winnen van de prijsvraag voor de bouw van Villa Psyche, een prototype van een gezinswoning, besteedde René van Zuuk enige tijd aan het zoeken naar firma's die bij het project betrokken wilden worden. De bouw werd begonnen dankzij de samenwerking van veertig bedrijven, die deze kans zichzelf te promoten door aan dit exclusieve project mee te werken met beide handen aangrepen.

Het terrein bevindt zich op het platteland en is omgeven door een meer en een stroompje. Het huis is een compositie van volumes, vlakken en niet-gangbare verbindingselementen.
Op de begane grond bevinden zich twee belendende ruimten: de een twee verdiepingen hoog en op het noorden gelegen, de andere een duplex-ruimte die de zuidelijke helft van het huis beslaat. Vanaf de noordwestelijke hoek van het gebouw scheidt een curvevormige gevel van transparant glas de twee delen van het huis. De ingang bevindt zich meteen aan het begin van deze gevel.
Naast dit glazen gordijn zijn vier stalen pilaren op rij geplaatst die de constructie ondersteunen en die op vier bomen lijken waarvan de takken het dak en het opvangreservoir voor het regenwater dragen. Een van deze pilaren bevindt zich in de buurt van de ingang, de overige drie zijn ter versteviging van de constructie vervlochten met metalen spanners.
De slaapkamers en de badkamer bevinden zich in het zuidelijke gedeelte, terwijl de woonkamer en keuken op het noorden liggen. Een metalen trap leidt naar de eerste verdieping waar een multifunctionele ruimte uitkomt op een groot terras dat een panoramisch uitzicht op het landschap biedt.

Plattegronden

De samenwerking van verschillende materiaal-leveranciers bij de uitvoering van het project heeft geleid tot een verrijking van het resultaat met een grote verscheidenheid aan afwerkingen.

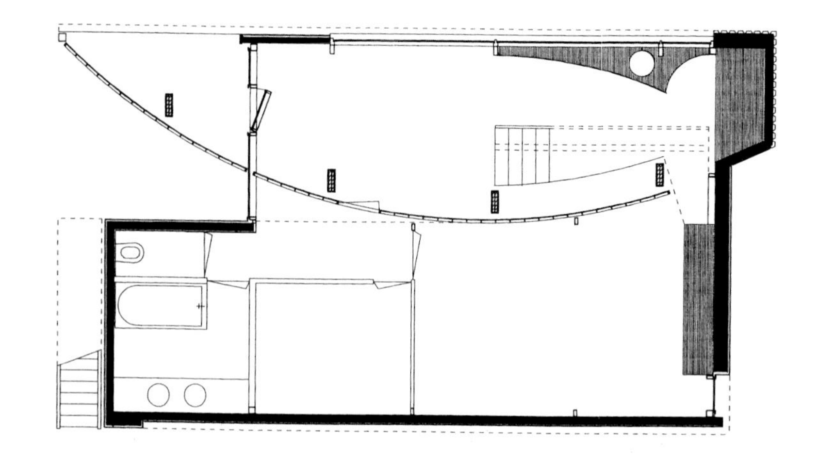

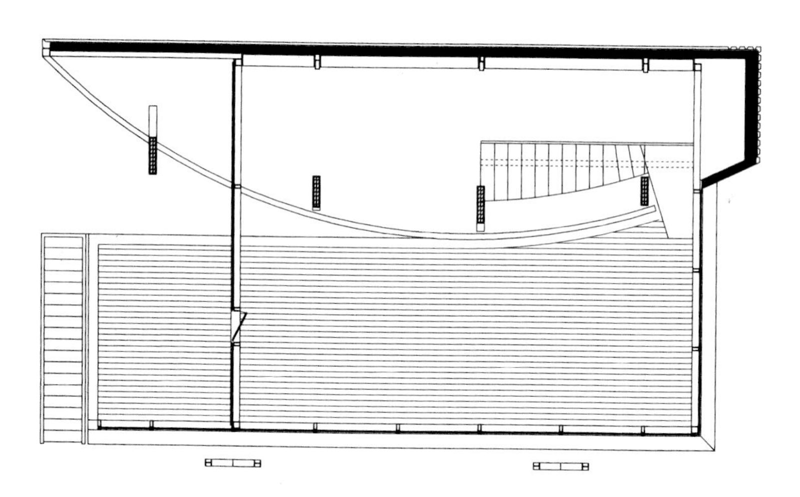

Doorsneden

De metalen structuur bestaat uit pilaren en balken die op de bovenste laag gebogen zijn en in doorsnede variëren, waardoor ze zich als gebeeldhouwde elementen verheffen en een esthetische bijdrage aan het project leveren.

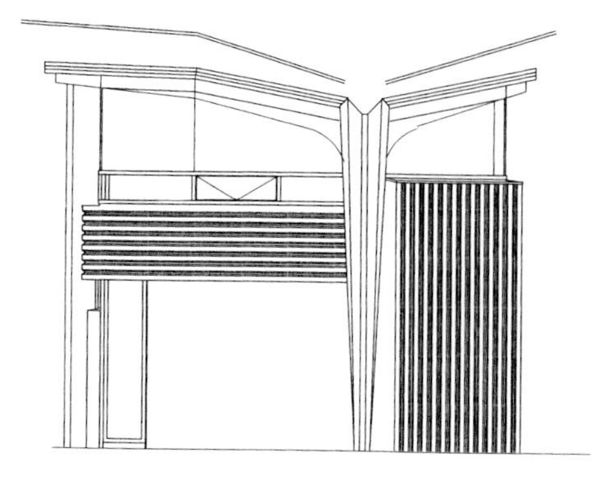

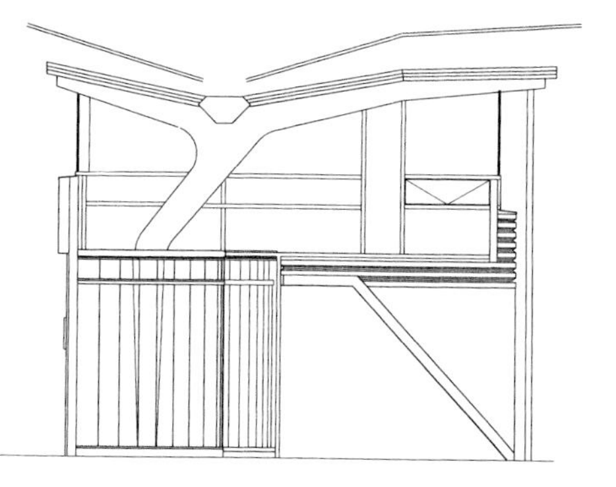

VILLA VAN DIEPEN // ALMERE

ARCHITECTEN: RENÉ VAN ZUUK ARCHITECTEN **PLAATS:** ALMERE **BOUWJAAR:** 1995 **OPPERVLAKTE:** 147 M²

FOTOGRAFIE: HERMAN VAN DOORN

Na de bouw van de revolutionaire Villa Psyche maakte de architect René van Zuuk plannen voor een nieuwe gezinswoning op een naburig terrein om verschillende concepten met betrekking tot gezinswoningen en de bouw in het algemeen te onderzoeken.

De combinatie van materialen en structuren en de indeling van de verschillende huiselijke ruimten vormen het terrein waarbinnen deze Nederlandse architect experimenteert.
Het bouwwerk verrees met behulp van dragende bakstenen muren, waardoor woonruimten verkregen werden zonder structuurelementen en vaste verticale scheidingen. Deze flexibiliteit zien we versterkt door een compositorisch ritme van de uniforme gevel, waardoor de scheidingswanden al naar gelang de functionele noodzaak veranderd kunnen worden. Daarnaast zijn de sanitaire kern en andere faciliteiten ook gecentraliseerd. De veelzijdigheid van het project komt ook tot uitdrukking in de onafhankelijkheid van de twee verdiepingen ten opzichte van elkaar: er zijn twee trappen, de een binnen, de andere buiten langs de gevel.
De verlichting vormde een van de belangrijkste aspecten tijdens het ontwerpproces en maakt deel uit van de constructie als zodanig: het dak is boven de dragende structuur verheven middels slanke metalen zuilen en grote glazen panelen, die het daglicht rond de hele bovenverdieping binnenlaten.

Aanzichten en plattegronden

De eenvoud van de indeling wordt aangevuld door het raffinement van de dakvormen en door voor dit prototype speciaal ontwikkelde bouwkundige details.

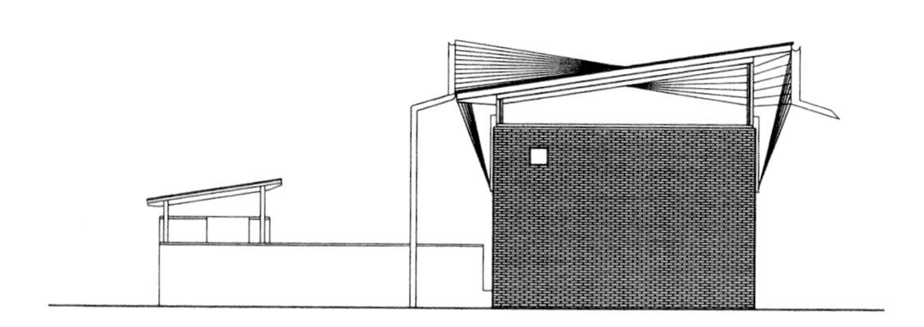

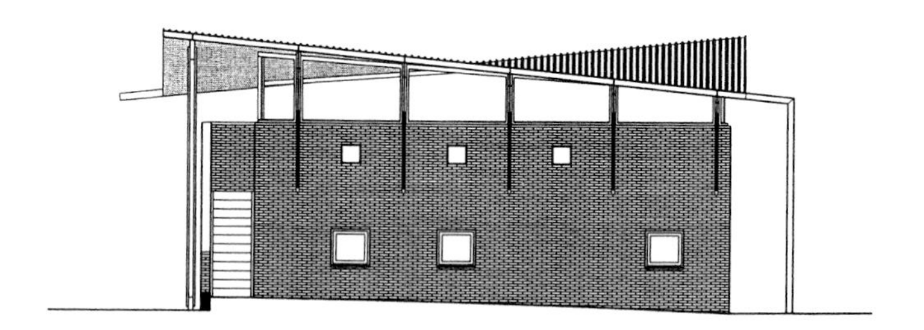

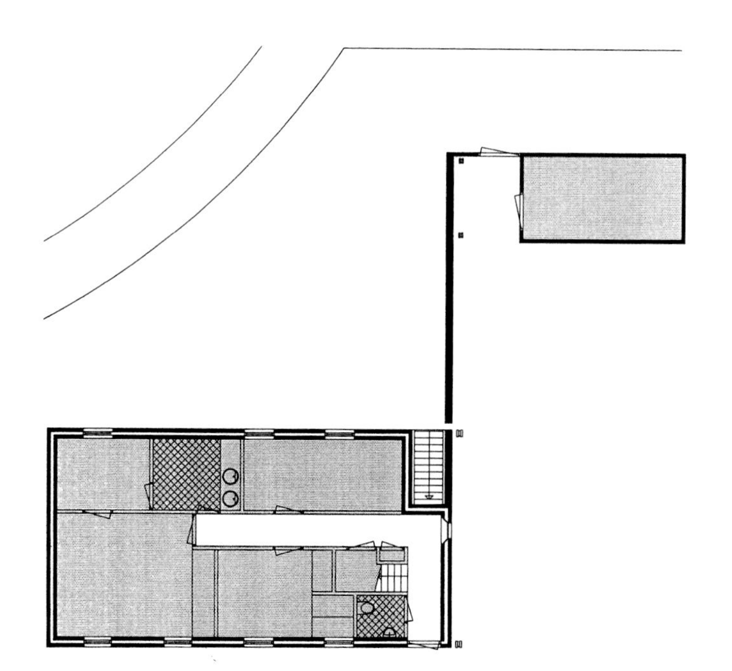

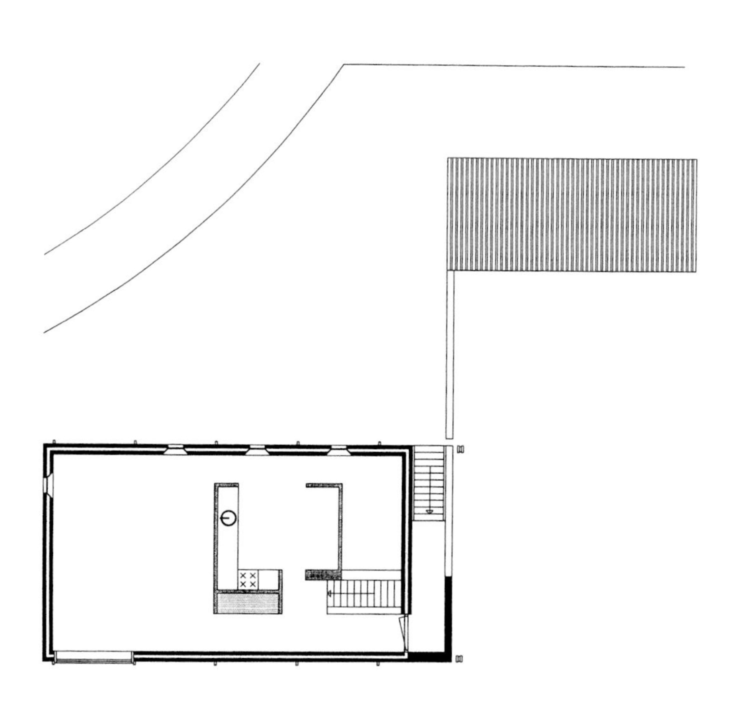

HUIS IN BILTHOVEN // BILTHOVEN

ARCHITECTEN: ARCHITECTENBUREAU SNELDER COMPAGNONS **PLAATS:** BILTHOVEN **MEDEWERKING:** BOUWBEDRIJF FRANS SCHOUTEN, VEENENDAAL **BOUWJAAR:** 2000 **FOTOGRAFIE:** LUUK KRAMER

Het perceel bevindt zich in een kleine plaats in de nabijheid van Utrecht en is omgeven door bos. Ondanks de strenge, locale regelgeving en het complexe functionele programma, heeft het team van Snelder Compagnons een bouwwerk weten neer te zetten dat zich – zonder te detoneren ten opzichte van de omgeving – majestueus als een sculptuur temidden van de bomen verheft.

Doordat op het perceel al een huis stond, mocht er volgens het bestemmingsplan slechts een klein gebouw aan toegevoegd worden. Verder werd er een maximale hoogte van 6 meter bepaald, vanaf de begane grond tot en met het dak; zodoende was er onvoldoende ruimte voor de twee verdiepingen die het programma vereiste. Omdat een grootschalige verplaatsing van grond te zwaar op de begroting zou drukken, is er gekozen voor lichte aanpassingen van het terrein, waardoor er een hoogte van 7 meter ontstond en er uiteindelijk toch twee verdiepingen ingepast konden worden. Bovendien ligt de begane grond wat lager waardoor er aan totale hoogte gewonnen werd en er op het energieverbruik bespaard wordt. Een andere door de regelgeving opgelegde beperking was dat de twee gebouwen niet hetzelfde dak mochten delen. Daarom werd besloten dat beide een dak met een soortgelijk uiterlijk zouden krijgen met doorlopende lijnen en van hetzelfde materiaal: geoxideerd koper met groene tinten, overeenkomstig de bladeren van de omringende bomen. Door dit gebaar werd een homogeen geheel verkregen dat als een beeldhouwwerk in het landschap verrijst.

Plattegrond

De variatie die is aangebracht in de gevelopeningen en de verscheidenheid aan materialen en bouwkundige details aan de buitenkant van het huis, worden ook binnenshuis weerspiegeld, waar een flexibele opeenvolging van ruimten een diversiteit aan sfeer voortbrengt.

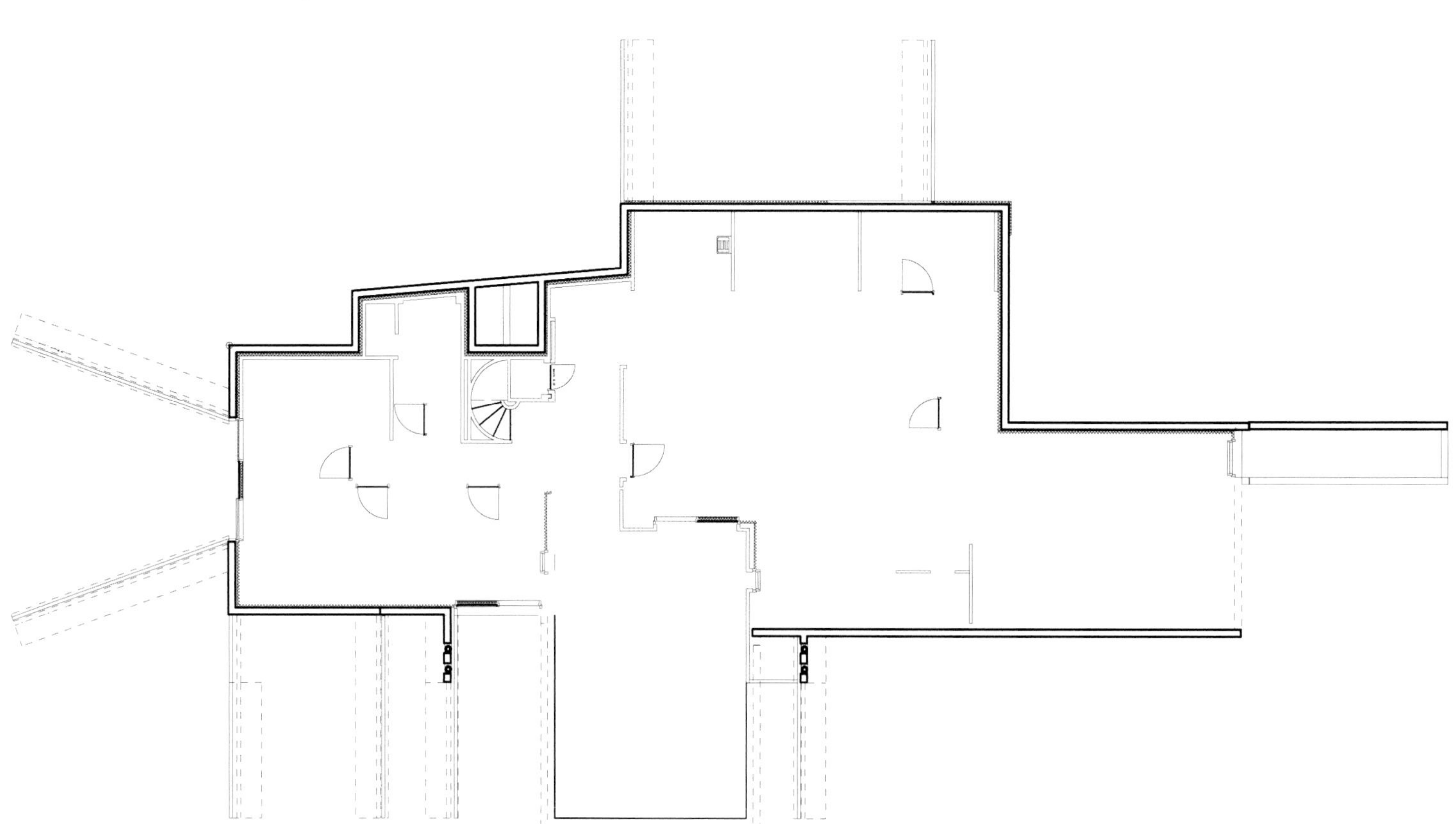

RENOVATIE VAN EEN APPARTEMENT // AMSTERDAM

ARCHITECTEN: DE ARCHITECTENGROEP **PLAATS:** AMSTERDAM **MEDEWERKING:** KLUSTER (AANNEMER) **BOUWJAAR:** 2002
OPPERVLAKTE: 100 M² **FOTOGRAFIE:** CHRISTIAN RICHTERS

Het team van architecten van de architectengroep onder leiding van Dick van Gameren was belast met de renovatie van een woning in een zeventiende-eeuws pakhuis. De oorspronkelijke ruimte was te zeer onderverdeeld in kleine kamertjes, waarvan er een groot aantal verstoken was van daglicht.

Het belangrijkste doel van de verbouwing was het scheppen van een ruime, comfortabele en vooral lichte woning. Hiertoe besloot men alle bestaande scheidingswanden af te breken om zodoende één grote ruimte te creëren met een groot multifunctioneel element in het midden. Op deze manier komt het licht overal en de continuïteit van de ruimte geeft flexibiliteit aan de huiselijke bezigheden.
Alle voorzieningen van het huis bevinden zich in het element: aan de binnenkant werd de badkamer geplaatst, en aan de buitenkant bevinden zich de keuken – die één kant in beslag neemt – en de kasten. De opklapbare eettafel maakt eveneens deel uit van dit centrale element, waaraan bovendien schuifdeuren zijn bevestigd die de slaapkamer de nodige privacy bieden.
Doordat het element geheel vrijstaat en nergens het plafond of de muren raakt, valt het daglicht, dat via de voor- en zijgevel naar binnen komt, tot diep in het appartement. De badkamer is gedeeltelijk voorzien van transparante glazen platen, zodat ook dit vertrek verzekerd is van daglicht.
Door de wens een samenhangende, praktische en eenvoudige woning te ontwerpen was ook de keuze van de gebruikte materialen van doorslaggevend belang. Het originele hout werd bewaard voor de vloer, de muren en het plafond werden wit geschilderd en voor de badkamer werden kleine tegels gebruikt.

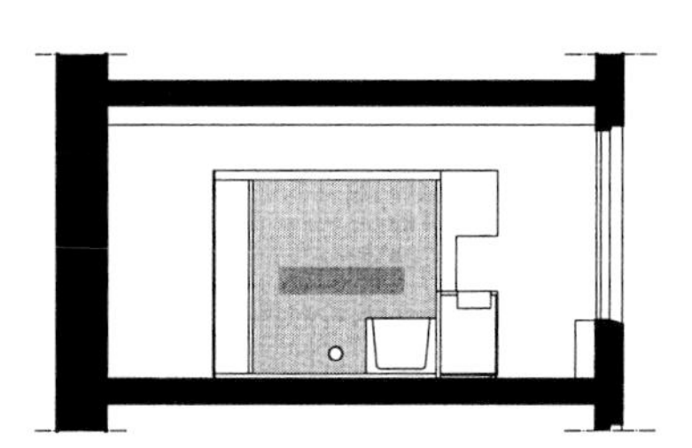

Doorsneden

De bedoeling van de architecten was een doorlopende ruimte te creëren. De bestaande ruimte werd ontdaan van alle scheidingswanden en onderverdelingen en er werd van een beperkt aantal materialen gebruik gemaakt.

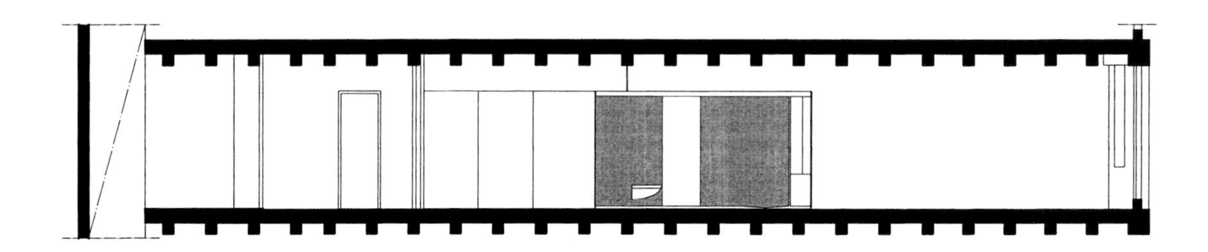

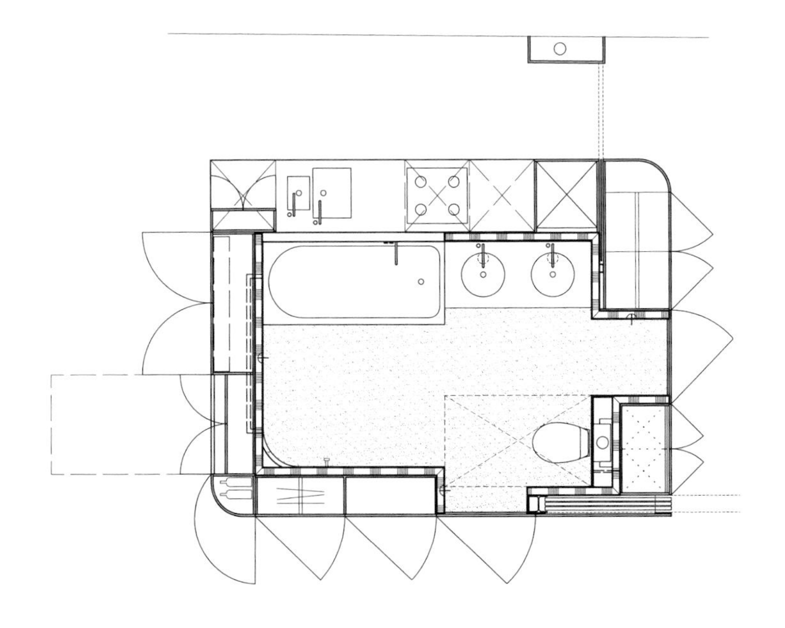

Plattegrond van het centrale element

Het ontwerp laat de veelzijdigheid van het multifunctionele element zien. Behalve de badkamer en keuken bevat het aan de buitenkant ook de kastenwanden.

KAVEL 19 // AMSTERDAM

ARCHITECTEN: ROWIN PETERSMA **PLAATS:** AMSTERDAM **MEDEWERKING:** BOUWADVIESBUREAU STRACKEE (BOUWTECHNIEK), TEERENSTRA BOUWGROEP, HEILOO (AANNEMER) **BOUWJAAR:** 2000 **OPPERVLAKTE:** 300 M^2 **FOTOGRAFIE:** LUUK KRAMER

De gemeente Amsterdam heeft veel van de oude kades in het voormalig havengebied nieuw leven ingeblazen en deze omgevormd tot woonwijken. Het door het bureau van Rowin Petersma ontworpen huis beslaat een kavel van 5 bij 16 meter aan de waterkant.

Vanwege het hoogteverschil tussen straat en waterpeil heeft het pand drie niveaus aan de straatkant en vier aan de waterkant. De gevel aan de voorzijde, gelegen op het noorden, is zeer somber en gesloten. Deze bevat een zwart geschilderd gedeelte dat de ingang en de toegang tot de carport afbakent, die dankzij een mechanisch parkeersysteem ruimte biedt aan twee auto's. De zuidgevel aan de waterkant bestaat uit grote glaspanelen die licht verschaffen en zicht bieden op de diverse vertrekken van het huis. Corten-staal en onbewerkt Iroko-hout zorgen voor een tamelijk grove afwerking (die doet denken aan het karakter van de oude havengebouwen) en die haar uiteindelijke textuur en kleur geleidelijk aan zal verkrijgen onder invloed van wind en regen. In tegenstelling tot de buitenkant is de afwerking binnen in het huis subtiel en verfijnd: hier tref je een combinatie aan van transparant glas, roestvrij staal en gewit gips. Het voornaamste element van het huis is het trappenhuis, van waaruit men zicht heeft op alle ruimten van de woning. Dit trappenhuis bestaat uit een lichte metalen stellage en glazen scheidingswanden.

Doorsnede

De doorsnede laat duidelijk de prominente plaats zien die de trap in het project inneemt. Deze is ontworpen als een gebeeldhouwd element dat vanuit vrijwel alle vertrekken van het huis zichtbaar is.

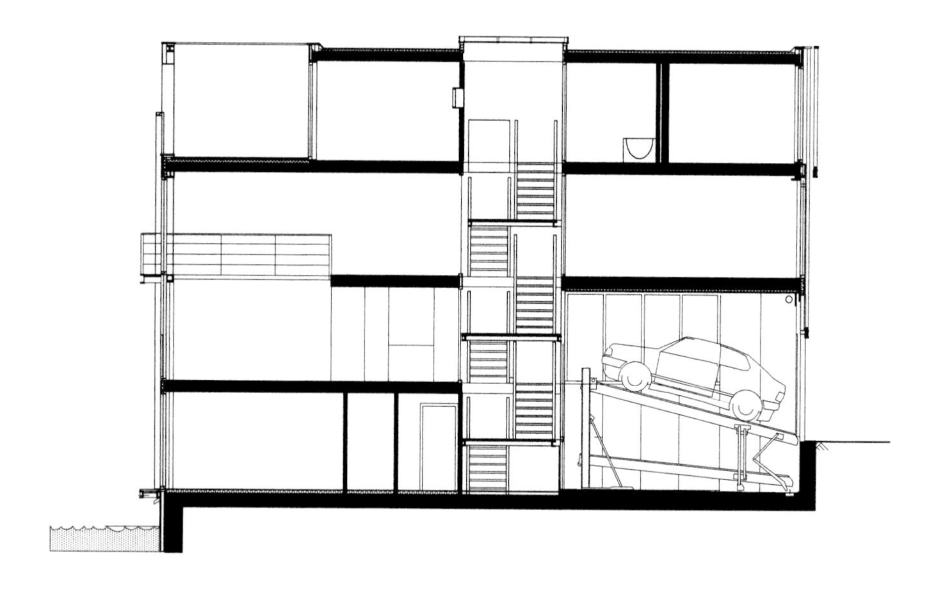

Plattegronden

De kamers zijn afwisselend aan weerskanten van het centraal gesitueerde trappenhuis gelegen.

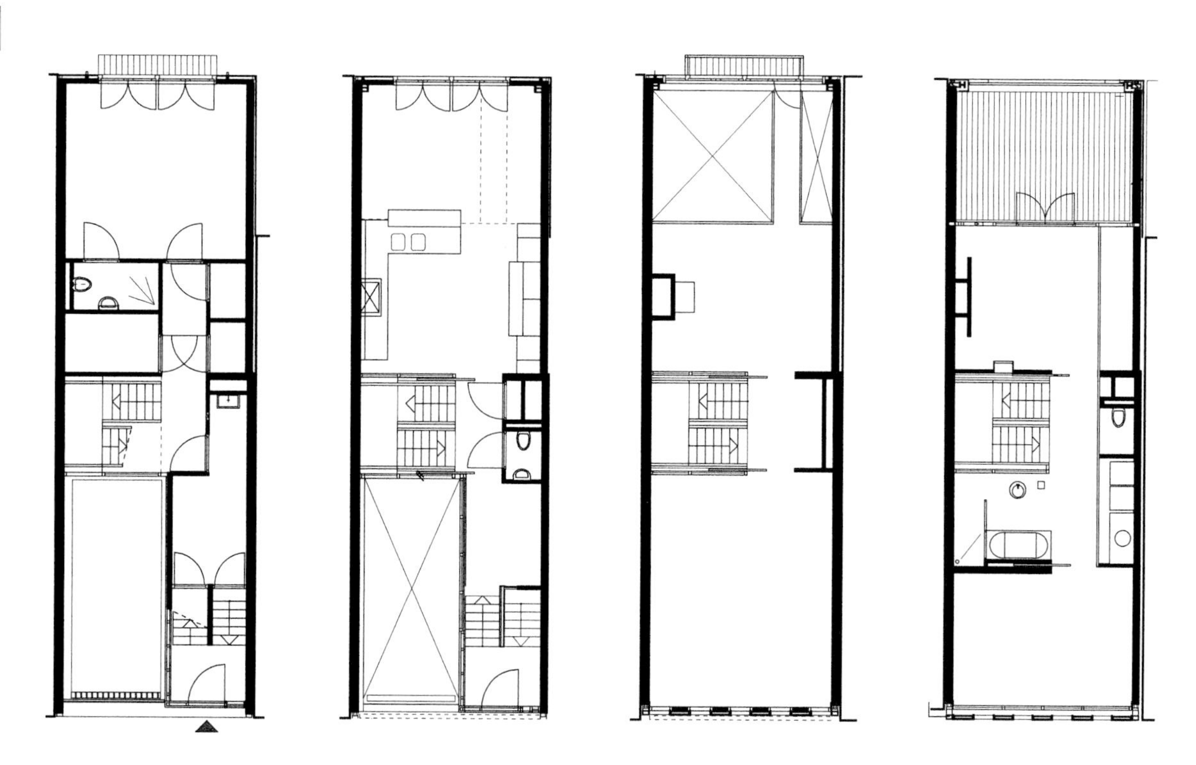

SMARTHOUSE MODELWONING // ROTTERDAM

ARCHITECTEN: ROBERT WINKEL ARCHITECTEN **PLAATS:** ROTTERDAM **MEDEWERKING:** HGB WONINGBOUW W&R **BOUWJAAR:** 2002 **OPPERVLAKTE:** 240 M^2 **FOTOGRAFIE:** LUUK KRAMER

De architect Robert Winkel heeft enkele prototypes van woningen bedacht, zogenaamde Smarthouses, die gebouwd zijn met lichte materialen en prefab componenten van diverse vormen en kleuren. Ook glas speelt bij deze woningen een belangrijke rol, aangezien met dit materiaal de relatie met buiten, het uitzicht en het licht benadrukt wordt.

De uitdaging waar de architecten bij dit project voor kwamen te staan bestond daarin dat zij de voordelen van prefab huizen moesten zien te combineren met de bij een particuliere opdracht vereiste flexibiliteit. Verder wilden zij heel graag een product ontwerpen dat met een beperkte begroting een snelle bouw en tevens een uitstekende kwaliteit zou garanderen.

De opbouw van Smarthouses bestaat uit een geraamte van stalen balken en zuilen die in lengte kunnen variëren; de verbindingen tussen deze delen zijn echter altijd dezelfde en de doorsnede van deze elementen is ook gestandaardiseerd. De wanden en vloeren worden aan de metalen structuur bevestigd, zodat deze onderling uitgewisseld kunnen worden zonder de draagconstructie te hoeven veranderen. De scheidingswanden binnen het huis hebben nooit een dragende functie zodat zij veelzijdig verdeeld kunnen worden, hetgeen het geheel flexibiliteit verleent. Bovendien is het mogelijk de bekleding van de woning te veranderen of de niveaus te herschikken, openingen in de vloeren te scheppen om ruimten te verkrijgen van dubbele of driedubbele hoogte, en om ramen op elk denkbare plek in de voor- of achtergevel te openen. Al deze beslissingen kunnen tijdens het ontwerpproces genomen worden zonder dat dit invloed heeft op de begroting of op het tijdsbestek van de uitvoering, die meestal rond de drie maanden ligt.

Plattegronden

Bij het ontwerp van de woonlagen heeft de architect, Robert Winkel, maximale efficiëntie en gemak beoogd, waarbij het oppervlak optimaal gebruikt kan worden, zonder hoeken of gangen die geen duidelijk doel dienen.

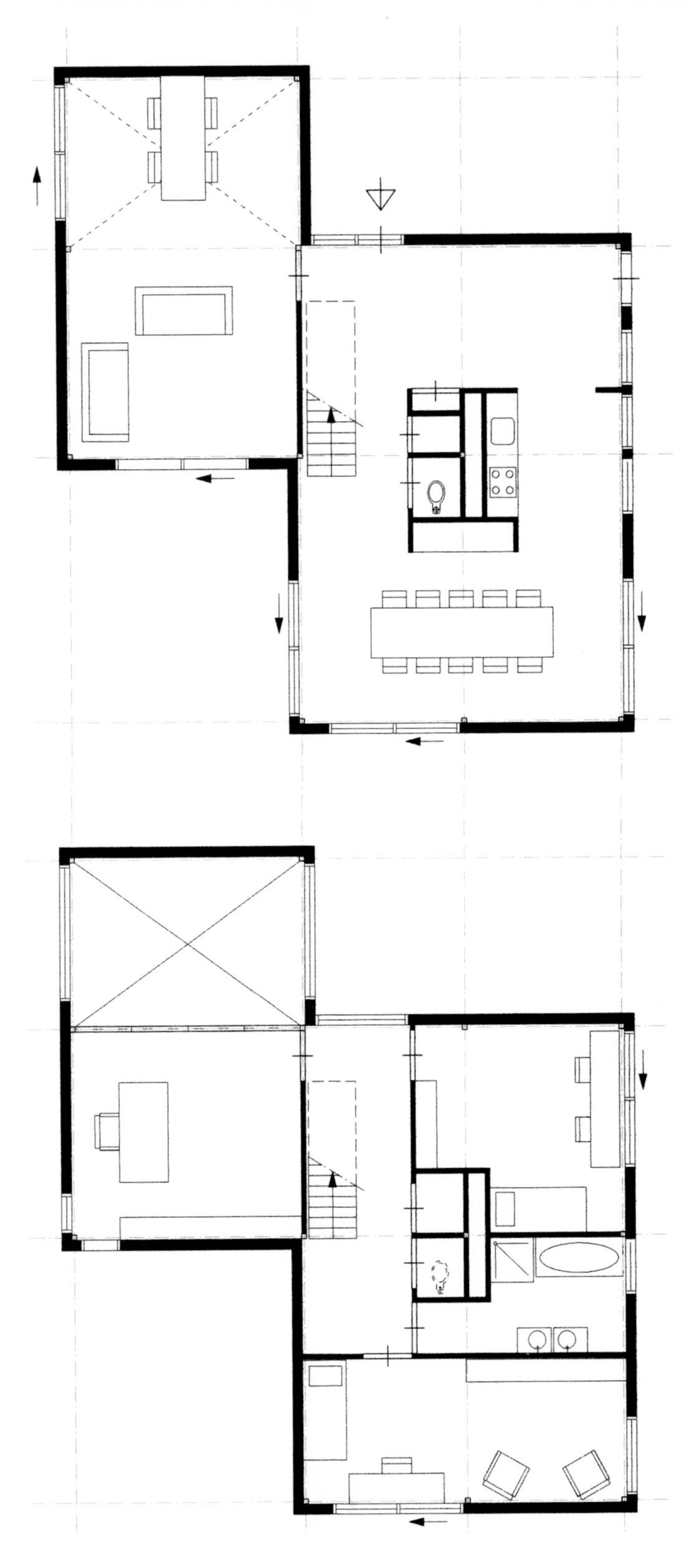

Kromme Nieuwegracht
TE KOOP

KNG 2 // UTRECHT

ARCHITECTEN: ARCHITECTUURBUREAU SLUIJMER EN VAN LEEUWEN **PLAATS:** UTRECHT
MEDEWERKING: AANNEMINGSBEDRIJF R. CEVAT, STAALCONSTRUCTIEBEDRIJF J. VAN DEN BERGH (STAAL EN GLAS)
BOUWJAAR: 2002 **OPPERVLAKTE:** 117 M² **FOTOGRAFIE:** HERMAN VAN DOORN

In de stad Utrecht bestaan bijna geen vrije percelen, en in de oude binnenstad is het gebrek aan bouwkavels al helemaal nijpend te noemen. Temidden van een dergelijke bouwdichtheid zag het team onder leiding van Hans Sluijmers de gelegenheid een huis te bouwen op een kleine kavel die onbebouwd was gebleven nadat een oud stedenbouwkundig plan geen doorgang had gevonden.

Bouwen op een perceel van 3 bij 5 meter lijkt een onmogelijkheid, maar er werd een project ontworpen dat comfort combineert aan een optimaal gebruik van het oppervlak. De indeling van de ruimten moest zich onderscheiden van de gangbare huishoudelijke inrichting. Daarom werd er een huis zonder kamers ontworpen waarin de meubels deel uitmaken van de constructie. Om de woonfuncties te centraliseren en te ordenen werd in een rechthoekige doorgangszone voorzien, met aan weerszijden de keuken, de woonkamer, de slaapkamers en de trap die de verdiepingen met elkaar verbindt. Deze indeling is identiek op alle zeven verdiepingen van het huis. Ook de relatie met de directe stedelijke omgeving is kenmerkend voor het project: alle kamers hebben een fantastisch uitzicht op verschillende plekken van de stad, zoals de steegjes en grachten.
Een speciaal ontwerp vereiste op zijn beurt bijzondere materialen: de constructie bestaat uit een systeem van metalen balken en panelen van glas en staal waarmee de constructie werd afgesloten. Verder zorgt een zorgvuldig ontworpen ventilatiesysteem in combinatie met zonnepanelen voor een efficiënt energieverbruik.

Doorsneden en aanzicht

Het beperkte grondoppervlak contrasteert met de hoogte van het gebouw, waardoor de vormgeving mogelijk werd van een behuizing met aanvaardbare afmetingen.

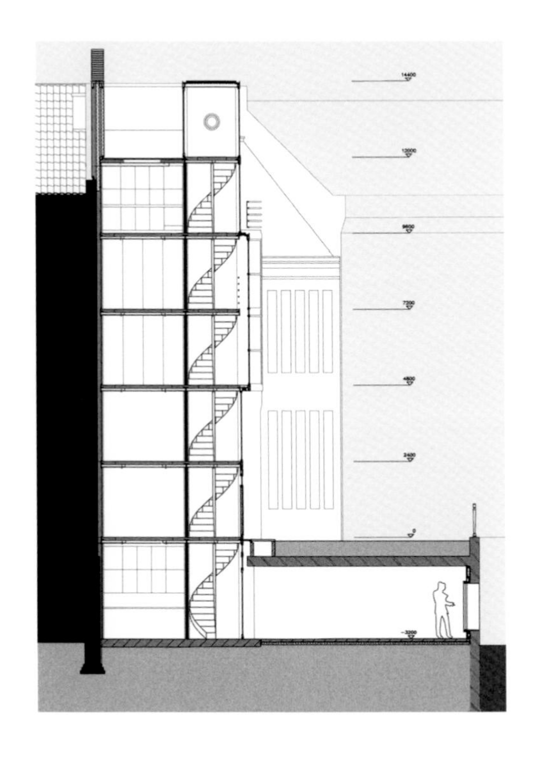

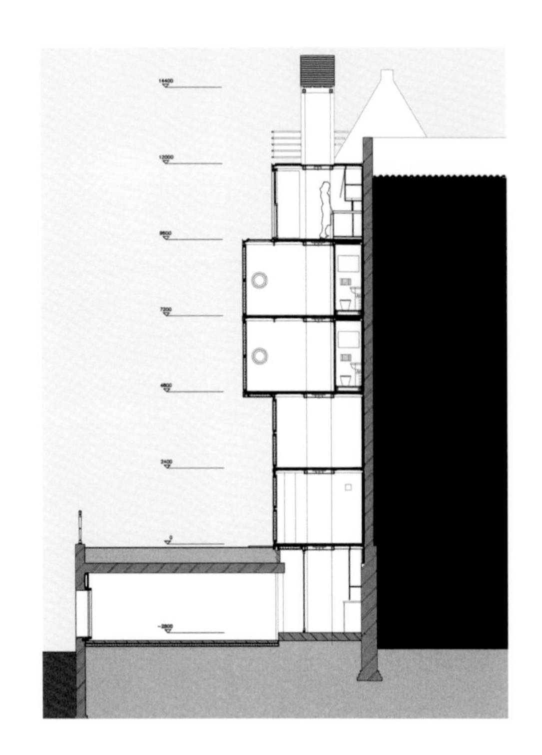

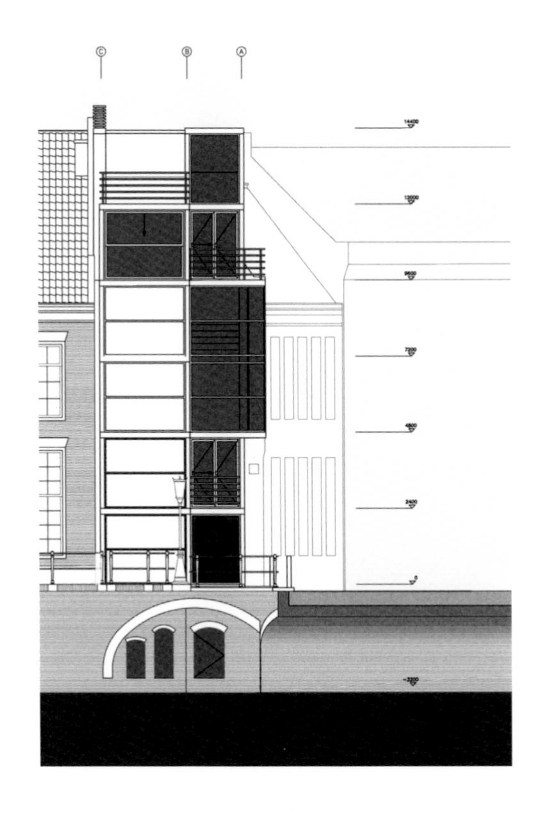

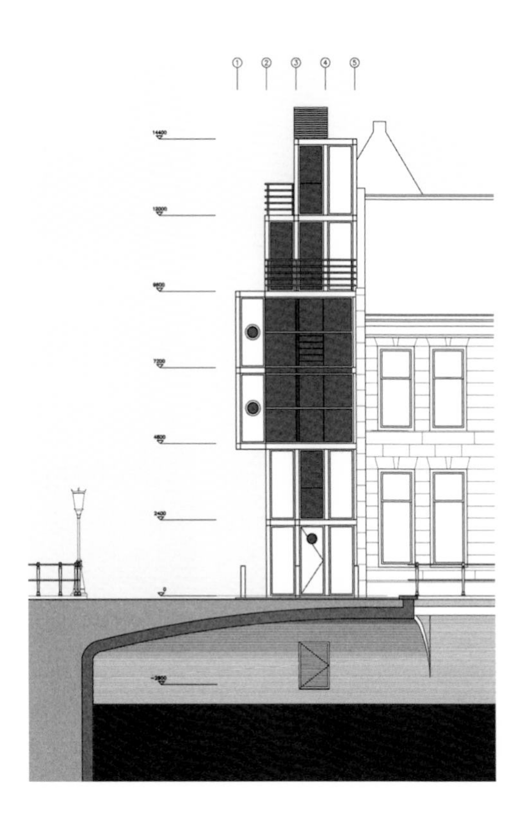

Plattegronden

Het project moest in een specifieke historische omgeving worden geplaatst, daarom is naar een beeld gezocht dat een bijdrage zou vormen aan een nieuw, coherent stedelijk landschap, zij het in contrast met de onmiddellijk ernaast gelegen huizen.

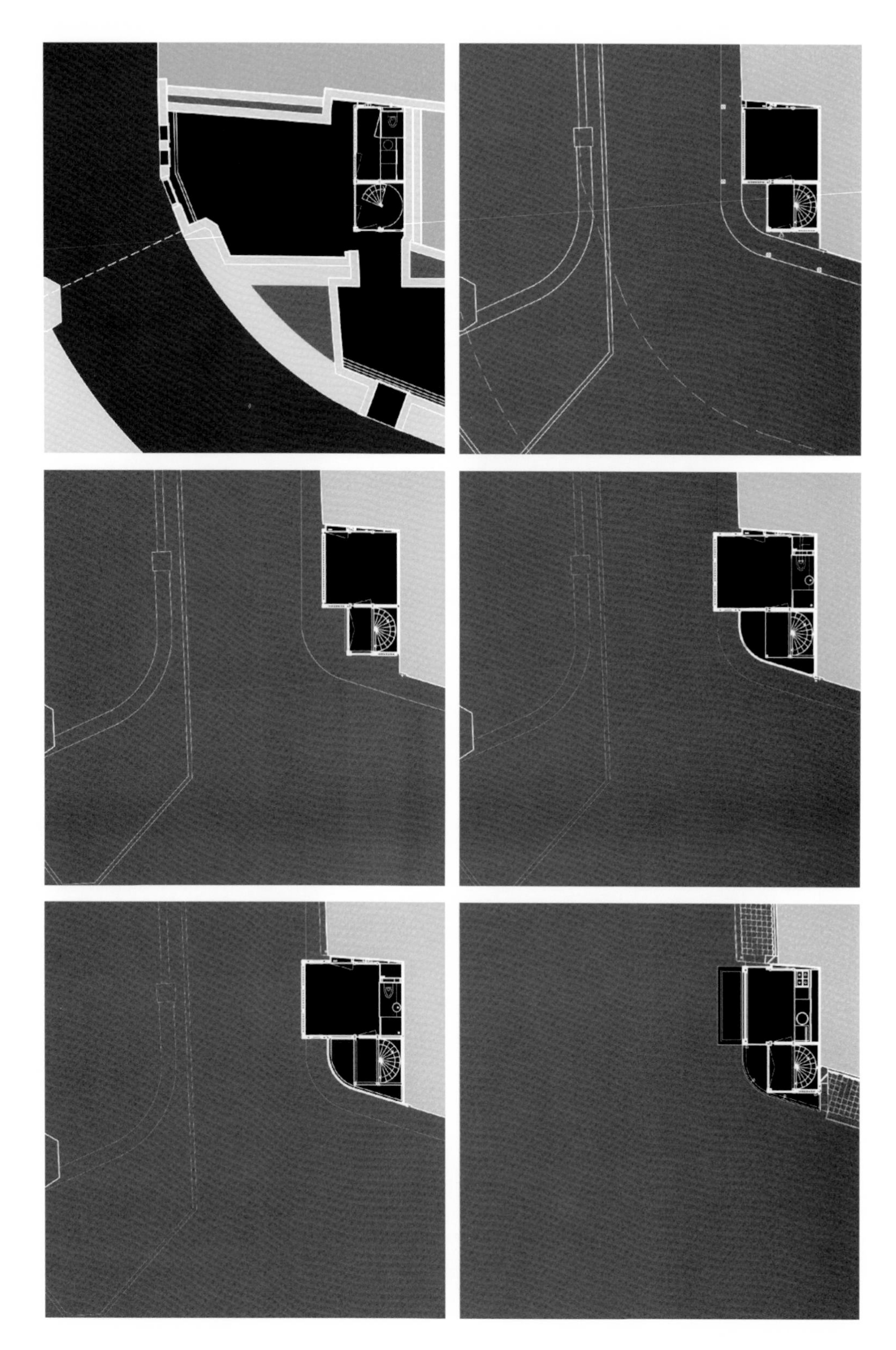

WONING MET GASTENVERBLIJF // ALMERE

ARCHITECTEN: JURGEN VAN STAADEN, SANTMAN VAN STAADEN ARCHITECTEN **PLAATS:** ALMERE **BOUWJAAR:** 2001
FOTOGRAFIE: HERMAN VAN DOORN

Het gebruik van nieuwe technologieën en de toepassing van avant-gardistische lijnen in het ontwerp gaan gepaard met warme en comfortabele huiselijke ruimten in dit project in een buitenwijk van Almere, waar het team onder leiding van Jurgen van Staaden een bij de eenentwintigste eeuw passende woning heeft gebouwd.

Het huis Fantasie verdeelt de huiselijke bezigheden over twee heel verschillende volumes en de ruimte die hiertussen bestaat: een betegelde buitenpatio met een zorgvuldig aangelegde tuin en een kleine vijver, die het huis en de omringende landelijke omgeving weerspiegelt.
De hoofdwoning bestaat uit een benedenverdieping, waarvan de gevel in zijn geheel van glas is gemaakt, en uit een eerste verdieping met een zo goed als blinde gevel van golfplaat. Beneden zijn de woonkamers en slaapkamers gebouwd. Van hieruit geniet men een prachtig uitzicht op het aangrenzende geboomte en grasland. Glazen schuifdeuren geven toegang tot de patio en completeren de gevel van metaal en grote glazen panelen. Voor vloer, wanden en plafond werd hout gebruikt om de nodige warmte toe te voegen.
Een metalen trap met houten treden leidt tot de bovenverdieping waar een muziekkamer is ingericht met een prachtige vleugel. Vanaf hier bereikt men via een loopbrug het andere gebouw, dat een geraffineerd lijnenspel vertoont, terwijl het een zichtbare, ruwe bakstenen structuur heeft. Dit tweede gebouw contrasteert met het moderne hoofdgebouw maar doet tegelijkertijd denken aan de bouwtraditie van de streek.

WATERVILLA // MIDDELBURG

ARCHITECTEN: ARCHITECTUURSTUDIO HERMAN HERTZBERGER **PLAATS:** MIDDELBURG
MEDEWERKING: ABT, SWEEGERS EN DE BRUIJN (BOUWTECHNIEK), WALCHERSE BOUW UNIE, MEIJERS STAALBOUW (AANNEMERS) **BOUWJAAR:** 2002 **OPPERVLAKTE:** 510 M^2 **FOTOGRAFIE:** HERMAN VAN DOORN

Als wonen op het water ergens zin heeft, dan is het wel in Nederland. De oude woonboten, met hun unieke en levendige uiterlijk, waren vaak te klein en niet comfortabel. De Architectuurstudio van Herman Hertzberger begon in de jaren tachtig woonhuizen op het water te tekenen, en zijn onderzoek leidde uiteindelijk tot het project in Middelburg: een ruime en flexibele woning, waar de ruimten elke dag opnieuw bedacht kunnen worden.

In dit project stelden de architecten zich ten doel het gevoel van onafhankelijkheid en vrijheid, dat wonen op het water teweegbrengt, te verhogen. Dus bedachten zij een bouwkundig systeem dat de verplaatsing of draaiing van een prototype heel gemakkelijk maakt. Op deze manier kunnen bewoners telkens beslissen van welk uitzicht zij willen genieten of van welke kant de zon de woning moet beschijnen. Bovendien zou men zo aanzienlijk op het energieverbruik kunnen besparen, aangezien de woning gedurende een groot aantal uren per dag zonnewarmte kan opnemen.
De flexibiliteit is ook bepalend voor de binnenkant waar de ruimten moeiteloos onderling verwisseld kunnen worden. Zo kun je bijvoorbeeld eerst beneden slapen en later de slaapkamer naar de zolder verplaatsen om van het aantrekkelijke uitzicht te genieten. Om aan dit doel van veelzijdigheid en flexibiliteit te beantwoorden, zijn waterleidingen en elektra met passende aansluitpunten en stopcontacten verdeeld over het hele huis.
Het systeem dat het huis drijvende houdt bestaat uit zes door staal met elkaar verbonden cilinders van 2 meter doorsnede. Om de duurzaamheid te bevorderen en het onderhoud te minimaliseren, is er gekozen voor metaal van 10 mm dikte. De voordelen van deze elementen in vergelijking met de traditionele betonnen bakken is dat ze gemakkelijker te hanteren zijn en bovendien nuttige opslagruimte bevatten.

Plattegrond van de woning

Door de plaatsing van de trappen aan het uiteinde van de woning kan het hele oppervlak bewoond worden. Een buitentrap geeft een vrije toegang tot de bovenverdieping.

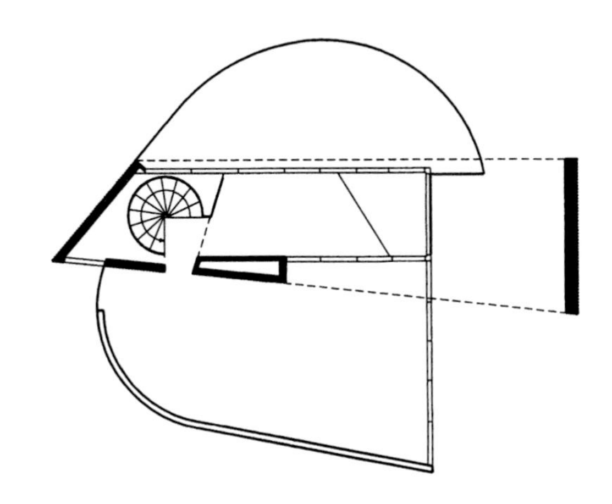

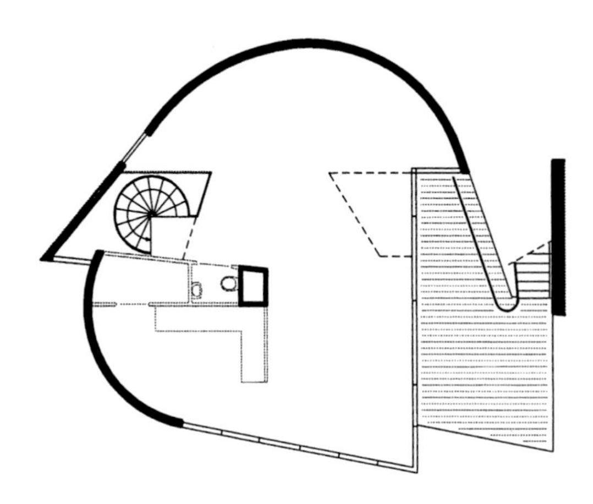

Plattegrond van het geheel

Het huis is op een hexagonale, drijvende structuur geplaatst, die het mogelijk maakt het geheel te draaien, al naar gelang de behoefte om het huis naar het water of naar de kade te richten.

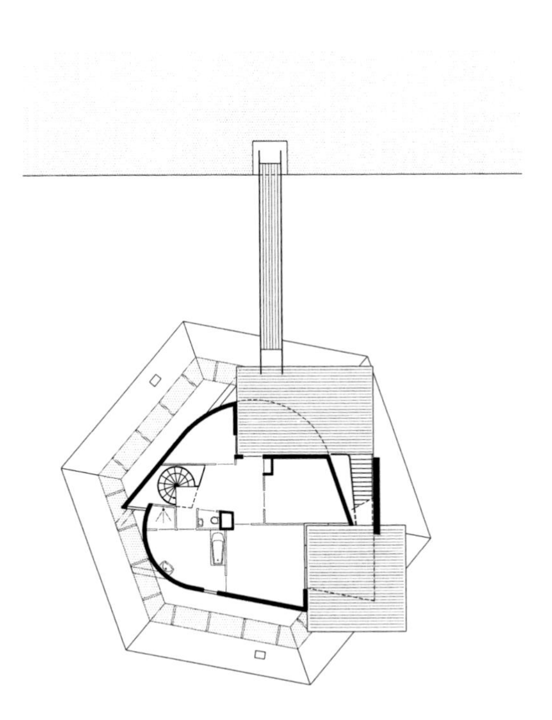

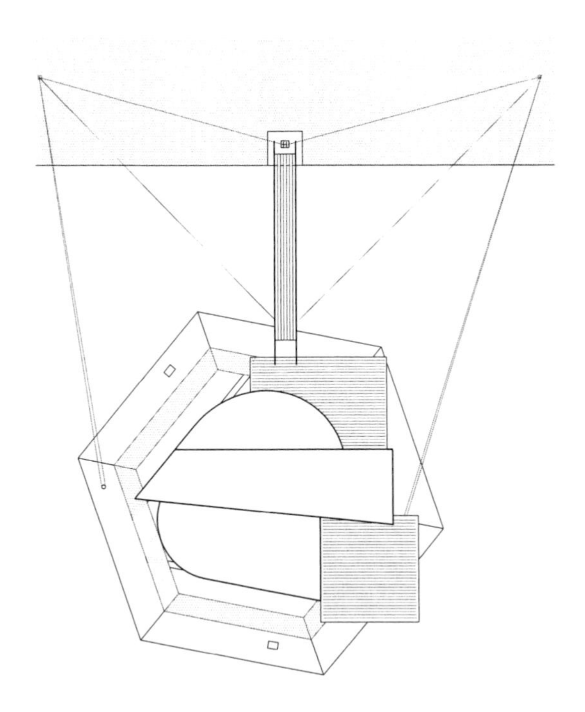

6

DE STAD // AMSTERDAM

ARCHITECTEN: NEXT ARCHITECTS **PLAATS:** AMSTERDAM **BOUWJAAR:** 2002 **OPPERVLAKTE:** 190 M^2
FOTOGRAFIE: HERMAN VAN DOORN

Voor de verbouwing van een voormalig pakhuis in het centrum van Amsterdam tot woning en studio, hebben de ontwerpers van Next Architects zich laten inspireren door ruimten waar traditioneel meerdere functies tegelijk vervuld worden, zoals cafés, bibliotheken en zelfs kloosters.

Het gebouw, waarin oorspronkelijk een bakkerij was gevestigd, was in een groot aantal verdiepingen onderverdeeld, die vanwege hun diepte van bijna 17 meter amper licht kregen. De doelstelling van het project was optimaal gebruik te kunnen maken van het oppervlak en tegelijk ventilatie en daglicht binnen te brengen. Om dit te bereiken werd het project verdeeld over drie qua functie en sfeer verschillende zones. Op de benedenverdieping werd een kantoor ingericht, dat op sommige plaatsen een hoogte van 7 meter bereikt en dat een zeer grote werkruimte herbergt. De entree lijkt op die van een café (met een grote stellage voor wijnflessen) vanwaar aan het eind van de ruimte een bibliotheek te zien is, met comfortabele banken en staande schemerlampen. In het centrale gedeelte, dat grenst aan de balie van het kantoor, zijn alle faciliteiten ondergebracht, zoals de keuken en de wc's. De keuken bestaat uit twee aanrechten van wit beton in een zinken omlijsting en een werk- en kookeiland dat over een uitschuifbare eettafel beschikt en dat, wanneer de tafel is ingeschoven, als bar dienst doet. De bovenverdiepingen herbergen alle functies van een woonhuis in een open, heldere ruimte, waar de enige gesloten elementen de badkamer en de kasten zijn.

Doorsnede

De ingezette volumes met bochtige, avant-gardistische lijnen contrasteren met de omhulling van het oorspronkelijke gebouw uit het begin van de twintigste eeuw. Het gebruik van felle kleuren creëert tevens een rijke sfeer.

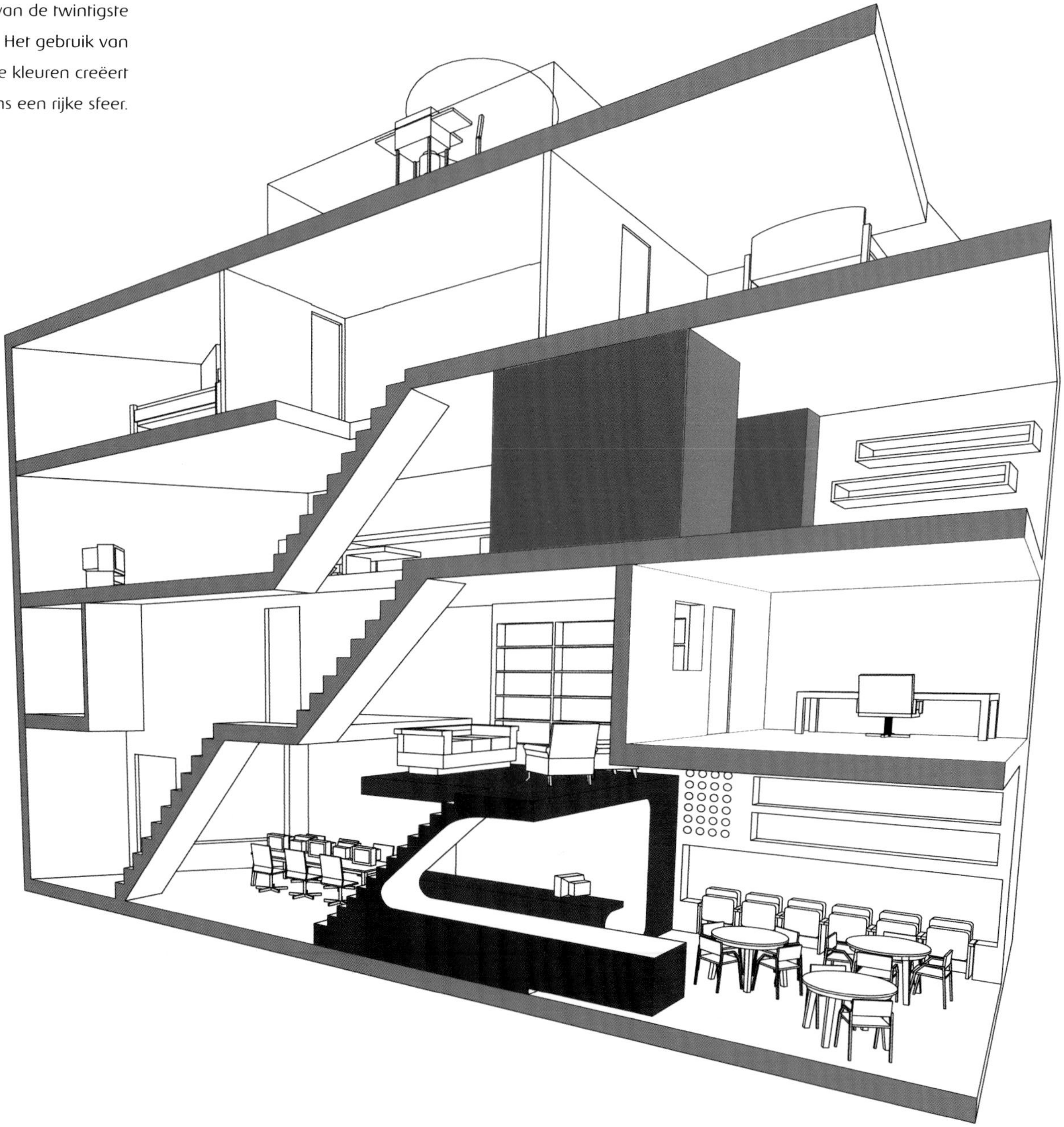

LAMINATA // LEERDAM

ARCHITECTEN: KRUUNENBERG VAN DER ERVE ARCHITECTEN **PLAATS:** LEERDAM **MEDEWERKING:** SAINT-GOBAIN GLASS, VAN RIJN & PARTNERS, RADIX & VEERMAN BV **BOUWJAAR:** 2001 **OPPERVLAKTE:** 340 M^2 **FOTOGRAFIE:** CHRISTIAN RICHTERS

Met het huis Laminata wordt een nieuwe maatstaf voor het gebruik van glas als bouwmateriaal gehanteerd. Ondanks de fantasierijke en vernieuwende toepassing van glas is het project niet een puur experimenteel prototype maar een functioneel woonhuis dat in alle behoeften op het gebied van wonen voorziet.

Het uitgangspunt bij het ontwerp was een woning te bouwen die vrijwel geheel in glas wordt uitgevoerd. Daarnaast moest ze echter ook solide zijn en privacy bieden. De hardheid en degelijkheid van de glasplaten werd verkregen door meerdere platen aan elkaar vast te lijmen, terwijl de privacy bereikt werd dankzij de reflectie van het licht en de smalle ramen in de gevels.
Een andere vereiste voor de constructie was het bereiken van flexibiliteit, om het gevaar van glasbreuk te voorkomen. Na intensief onderzoek en diverse proeven kwam men tot de conclusie dat het hechtmateriaal voor de glaslagen gedeeltelijk uit siliconen samengesteld moest zijn om de werking van het gebouw zelf te kunnen absorberen. Evenals in de eigenaardige gradaties in de glasdikte rond de ramen, is op sommige plekken in het huis de snijlijn van het glas niet recht maar krom, zoals bijvoorbeeld in de gang die de entree met de kamers verbindt en die dwars door het hele huis heen een golvende route tussen cascades van glas volgt.

Plattegronden

De technische complexiteit van de gevels staat bewust in contrast met de vereen-voudiging van de inrichting van de binnenruimten. Via de centrale patio komt het daglicht alle kamers binnen.

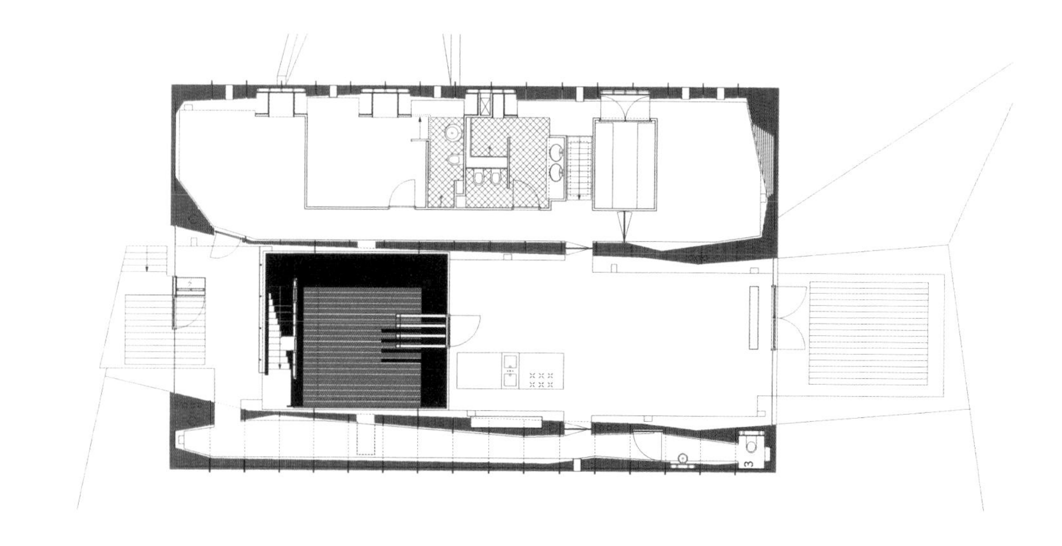

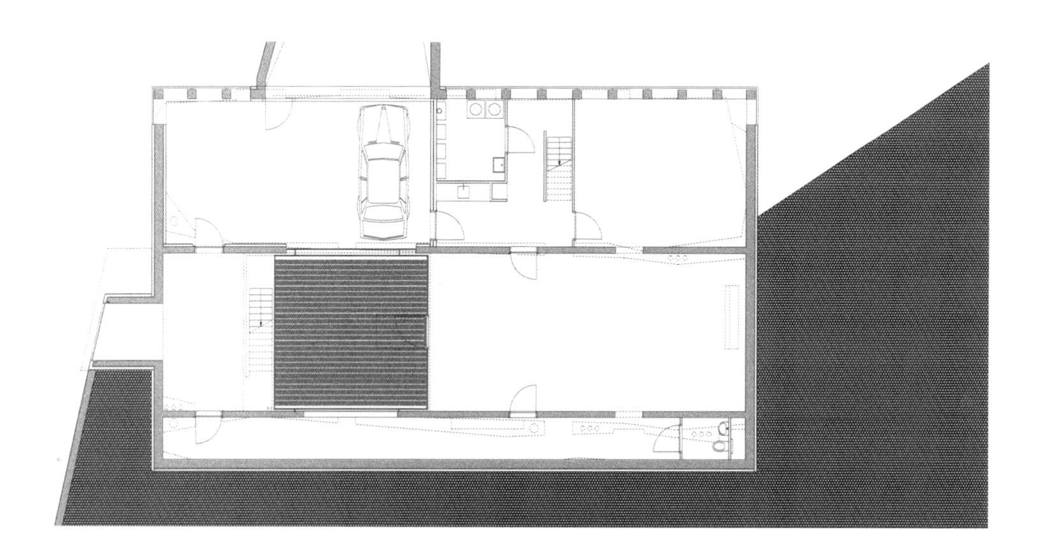

Doorsnede

Door een goed gebruik van het terrein kon een constructie met een thermische inertie worden gerealiseerd, en omdat het gebouw geheel uit glas bestaat en goed geïsoleerd is, worden extreme temperatuurverschillen voorkomen.

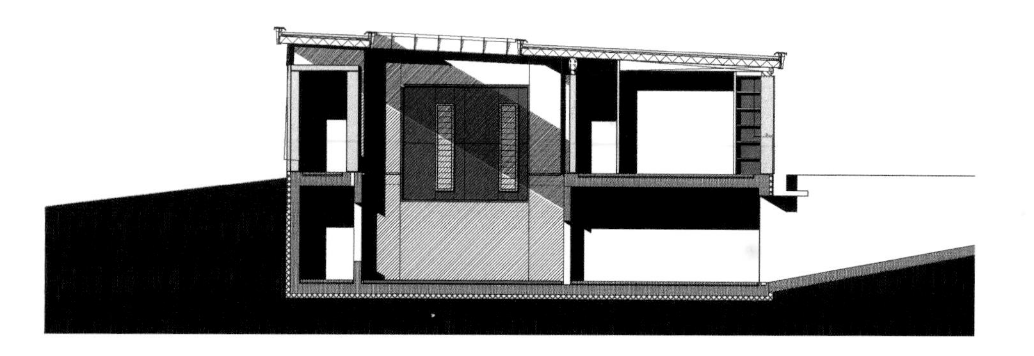

P. DIJKSTRAPLEIN
FS-76-LS

APPARTEMENTEN BORNEO-EILAND // AMSTERDAM

ARCHITECTEN: DE ARCHITECTENGROEP **PLAATS:** AMSTERDAM **MEDEWERKING:** SMIT'S BOUWBEDRIJF, BEVERWIJK (CONSTRUCTEUR, AANNEMER, OPDRACHTGEVER) **BOUWJAAR:** 2000 **OPPERVLAKTE:** 120 M²
FOTOGRAFIE: CHRISTIAN RICHTERS

Ondanks strenge stedenbouwkundige regelgeving heeft het bureau van de architectengroep een gevarieerd appartementencomplex weten te ontwerpen, met veelvuldige architectonische en bouwkundige details die elk appartement tot een unieke, originele woning maken.

Het woningbouwproject van Bureau West 8 op Borneo-eiland, een wijk in Amsterdam, bevatte plannen voor drielaagse eengezinswoningen met terrassen aan de voorkant en achtertuinen die tegen elkaar aan liggen. Deze zogenaamde rug-aan-rug-schakeling brengt normaal gesproken met zich mee dat het straatprofiel gedomineerd wordt door garagedeuren of geparkeerde auto's. Het team onder leiding van Dick van Gameren en Bjarne Mastenbroek heeft echter de doorsneden omgekeerd en zodoende een binnenstraat laten ontstaan met garages waarboven terrassen geplaatst zijn die daglicht verschaffen aan alle, inclusief de op het noorden gelegen, woningen.
De onvermijdelijke tunnelstructuur die voortkomt uit de serie huizenrijen werd gecamoufleerd door de laatste huizen van elke rij te variëren. Deze zijn anders vormgegeven en uitgevoerd met grote terrassen die de begrenzing van het gebouw als het ware overschrijden en ver buiten de gevellijn uitsteken. Om de eigenaardigheid van deze gebouwen te onderstrepen werden balustrades van doorzichtig en getint glas gebruikt.
Het ontwerp van de appartementen van de bovenste verdieping is gewijzigd door de vier originele kamers om te vormen tot één transparante ruimte. Een centraal element bevat het sanitair en alle faciliteiten. Dit element bepaalt de positie van de verschillende ruimten eromheen, zowel de gemeenschappelijke vertrekken als de vertrekken die meer privacy vereisen.

P.DIJKSTRAPLEIN

Plattegronden

Om alle woningen en alle kamers van daglicht te voorzien werd een zeer grote binnenplaats ontworpen waaromheen alle huizen gerangschikt zijn.

Woonblokken

21
23

HAGENEILAND // DEN HAAG

ARCHITECTEN: MVRDV **PLAATS:** DEN HAAG **BOUWJAAR:** 2002 **FOTOGRAFIE:** LUUK KRAMER

In de Haagse buitenwijk Ypenburg hebben de lokale overheid en particuliere opdrachtgevers een aantal architectenbureaus uitgenodigd om wooncomplexen op diverse terreinen in de wijk te ontwerpen. MVRDV werd belast met de uitvoering van een van deze ontwikkelde projecten op het Hageneiland.

Het project is ontwikkeld vanuit vier rijen percelen en de woningen zijn bij elkaar gezet in verschillende groepen van twee, drie of vier gebouwen. Elke woning beschikt over een voortuin, die aansluit op de voetpaden, en een meer besloten achtertuin, die door heggen wordt afgeschermd van de buren. De verscheidenheid aan combinaties van gebouwen, patio's, tuinen en paden schept een rijk en heterogeen geheel, hetgeen nog benadrukt wordt door de diversiteit in afwerkingen van de gebouwen. Er zijn eenvoudige materialen gekozen – zoals hout, baksteen of metalen platen – die de gevels volledig bedekken. Deze oplossing voor de afwerking vereiste een minutieus onderzoek van de bouwkundige details, waarvan de uit hetzelfde materiaal bestaande intersecties tussen gevels en daken, of de verhulling van de profielen rond de openingen in de gevel het meest in het oog springen. Verder werd, om de verscheidenheid te benadrukken, elk huis in een andere kleur geschilderd. Het werkelijke belang van het project wordt echter pas duidelijk wanneer de eerste tekenen van bewoning zichtbaar zullen zijn (planten, speelgoed, decoratieobjecten) en deze zich perfect aan de door MVRDW aangedragen architectuur aangepast zullen hebben, zonder uit de toon te vallen.

17

PARADIJSSEL // CAPELLE AAN DEN IJSSEL

ARCHITECTEN: ARCHITECTUURSTUDIO HERMAN HERTZBERGER **PLAATS:** CAPELLE AAN DEN IJSSEL **BOUWJAAR:** 2000
FOTOGRAFIE: HERMAN VAN DOORN

Het door Architectuurstudio Herman Hertzberger ontworpen wooncomplex bestaat uit 75 woningen, die qua afmetingen en indeling over drie types te verdelen zijn. Vanwege het verbod om op dijken te bouwen is het project direct achter de dijk opgetrokken.

Er is besloten een vierlaags complex te bouwen om het probleem van het hoogteverschil met de dijk aan te pakken en een uitzicht vanuit de huizen te garanderen. Op deze manier hebben de bovenste verdiepingen van elk huis (tweede en derde verdiepingen plus het terras) een schitterend uitzicht op het water. Met de ontwikkeling van het project tot een boogvormig complex werd ook een beter uitzicht en een grotere aanpassing aan de omgeving beoogd.
De inpandige garage en de entree zijn op straatniveau geplaatst. Verder zijn er achter elke woning kleine, door schuttingen van elkaar gescheiden tuintjes. De woon- en eetkamers bevinden zich op de eerste en tweede verdieping, die door een grote boogvormige vide met elkaar verbonden zijn. De slaapkamers zijn op de derde verdieping gesitueerd. Een groot dakterras maakt het de bewoners mogelijk een eethoek in de openlucht met een niet te overtreffen uitzicht in te richten. Er is ook in de mogelijkheid voorzien dat het terras overdekt wordt en er een extra slaapkamer gebouwd wordt. Door het gebruik van beton voor vrijwel de hele constructie en metaal voor de raamkozijnen en voor elementen als balkons en trappen, konden de kosten aanzienlijk verminderd worden en is er sprake van een uitstekende prijs-kwaliteit-verhouding.

ZES WONINGEN OP BORNEO-EILAND // AMSTERDAM

ARCHITECTEN: EMBT ARQUITECTES, ENRIC MIRALLES EN BENEDETTA TAGLIABUE **PLAATS:** AMSTERDAM **BOUWJAAR:** 2001
FOTOGRAFIE: LOURDES LANSANA

Het vakmanschap en talent van de architecten Enric Miralles en Benedetta Tagliabue heeft hen vele prijzen en werk in meerdere landen opgeleverd, voor uiteenlopende opdrachten zoals het Parlement van Edinburgh of de uitbreiding van het Stadhuis van Utrecht. Dit woonproject in Amsterdam is een van hun vele originele bijdragen aan de Nederlandse architectuur, waar hun avant-gardistisch en respectabel werk zeer goed ontvangen wordt.

Het project maakt deel uit van de herbebouwing van het Borneo-eiland, waarvoor verschillende gerenommeerde architecten gevraagd werden gezinswoningen en appartementen te bouwen. Dit gebeurde in het kader van het stedenbouwkundig plan van het Bureau West 8 om het voormalig havengebied nieuw leven in te blazen. De eisen waren duidelijk: gelijke volumes, drielaagse huizen, eigen ingangen en individuele parkeerplaatsen, toegang via achter de woningen gelegen straten en prachtig uitzicht op het water aan de voorkant. Deze voorwaarden zorgden voor een veelheid aan projecten en oplossingen, waardoor een rijk en complex stedelijk landschap voortgebracht werd.
In dit kader moest het team van EMBT zes woningen bouwen die zij in een doorlopend blok met verschillende hoogten en terugspringende gevels ontwierpen, hetgeen tot een coherent en dynamisch geheel heeft geleid.
Hun interesse en respect voor de Nederlandse bouwtraditie bracht de architecten ertoe alle gevels in baksteen uit te voeren. Anderzijds komen de moderniteit en de avant-gardistische inslag, die voor hen zo kenmerkend zijn, tot uiting in de afwisseling van kleur en compositie van deze bakstenen.

VERBODEN
TE MEREN

Plattegronden, aanzichten en doorsneden

Het gebruik van verschillende soorten baksteen voor de gevel, de terugspringende verdiepingen en de daaruit voortvloeiende verscheidenheid aan ruimten scheppen een dynamisch en suggestief geheel.

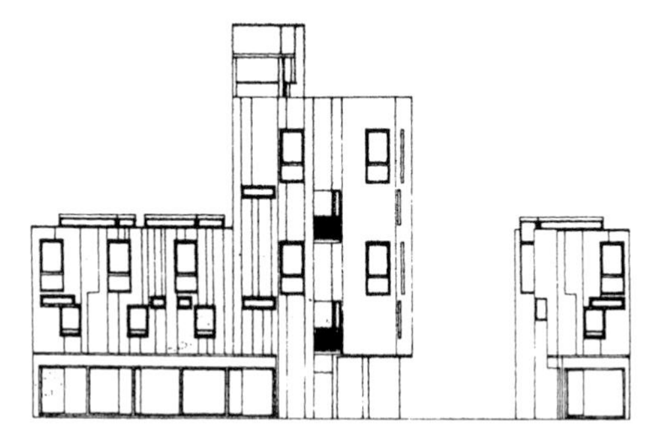

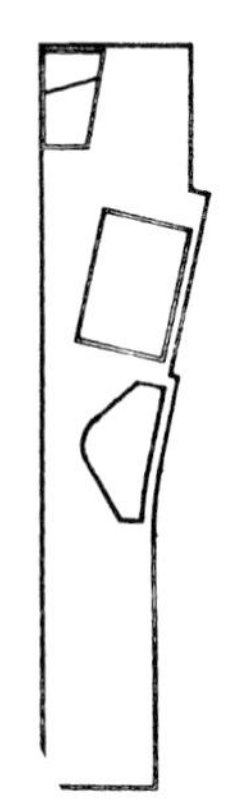

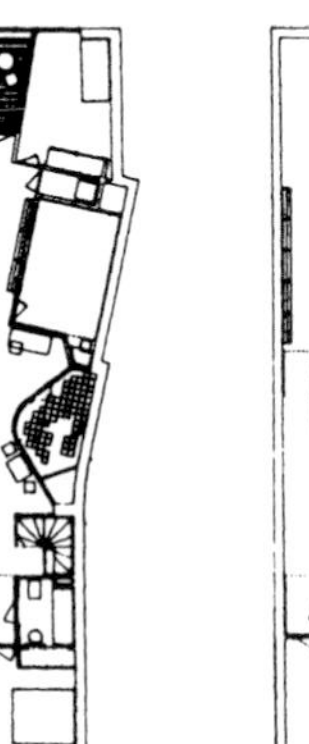

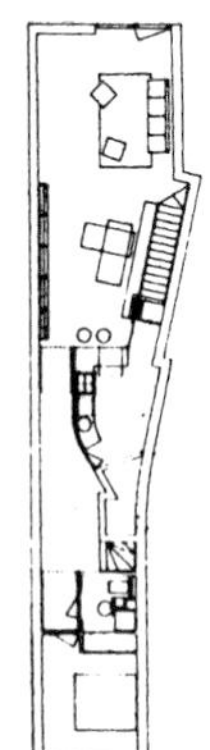

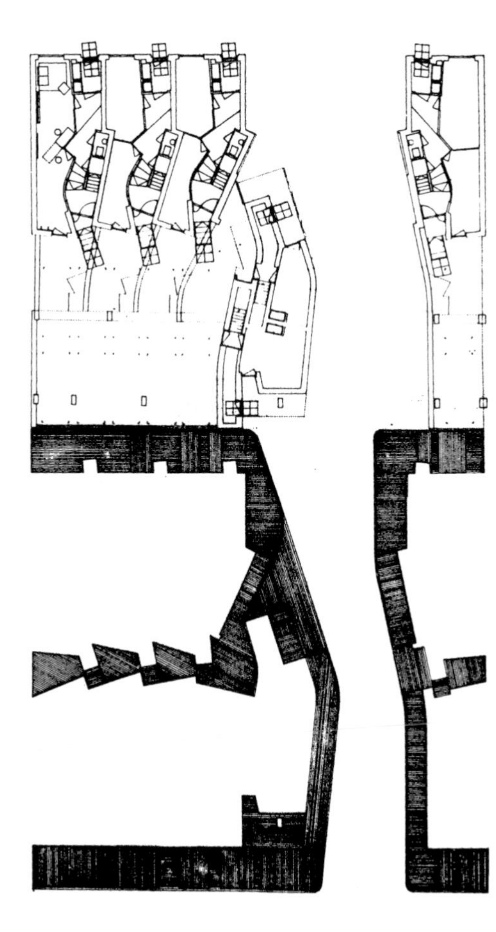

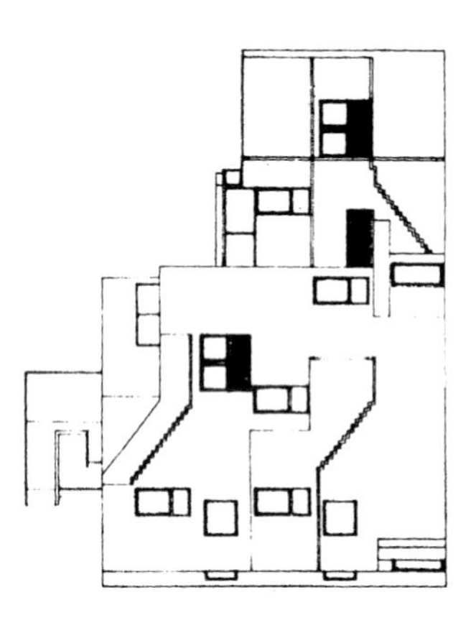

SCHEEPSTIMMERMAN-
STRAAT
POMPMANSTRAAT
4
NIET
PARKEREN
UITRIT
GARAGE

Adressen

Jo Coenen & Co
Postbus 989
6200 AZ Maastricht
tel.: +31 433 511 800
fax: +31 433 510 002
email: mail@jocoenen.com
website: www.jocoenen.com

Marc Prosman Architecten
Overtoom 197
1054 HT Amsterdam
tel.: +31 204 892 099
fax: +31 204 893 658
email: architecten@prosman.nl
website: www.prosman.nl

Faro Architecten
Landgoed de Olmenhorst
Lisserweg 487d
2165 AS Lisserbroek
tel.: +31 252 414 777
fax: +31 252 415 812
email: info@faro-architecten.nl
website: www.faro-architecten.nl

Architectenbureau K2
Distelweg 90 A/3/1
1031 HH Amsterdam
tel.: +31 204 082 088
fax: +31 204 082 700
email: info@architectenbureau-k2.nl
website: www.architectenbureau-k2.nl

Mecanoo Architecten
Oude Delft 203
2611 HD Delft
tel.: +31 152 798 100
fax: +31 152 798 111
email: info@mecanoo.nl
website: www.mecanoo.nl

Koen Van Velsen
Postbus 1367
1200 BJ Hilversum
tel.: +31 356 222 000
fax: +31 356 288 991
email: kvv@architecten.A2000.nl

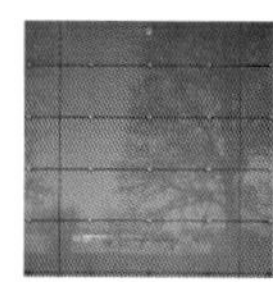

Dirk Jan Postel
Watertorenweg 336
Postbus 4003 3006 AA Rotterdam
tel.: +31 104 989 292
fax: +31 104 989 200
email: dirkjanpostel@kraaijvanger.urbis.nl
website: www.kraaijvangerurbis.nl

De architectengroep
Barentszplein 7
1013 Nj Amsterdam
tel.: +31 205 304 848
fax: +31 205 304 800
email: info@architectengroep.com
website: www.architectengroep.com

123 DV
Pelgrimstraat 5B
3029 BH Rotterdam
tel.: +31 104 782 064
fax: +31 104 254 764
email: info@123DV.nl
website: www.123DV.nl

Greiner Van Goor Architecten
Schipluidenlaan 4
1062 HE Amsterdam
tel.: +31 206 761 144
fax: +31 206 752 536
email: info@gvg.nl
website: www.gvg.nl

UN Studio
Stadhouderskade 113
1073 AX Amsterdam
tel.: +31 205 702 040
fax: +31 205 702 041
email: info@unstudio.com
website: www.unstudio.com

René Van Zuuk Architecten
Buster Keatonstraat 59
1325 CK Almere
tel.: +31 365 379 139
fax: +31 365 379 259
email: rene@vanzuuk.demon.nl
website: www.renevanzuuk.nl

Architectenbureau Snelder Compagnons
Brinklaan 129
1404 GB Bussum
tel.: +31 356 981 367
fax: +31 356 981 368
email: post@snelder.com
website: www.snelder.com

Rowin Petersma
Grasweg 41 S
1031 HW Amsterdam
tel.: +31 206 304 390
fax: +31 206 304 399
email: rowin@citythoughtsarchitects.nl
website: www.rowinpetersma.nl

Robert Winkel Architecten
St. Jobsweg 30
3024 EJ Rotterdam
tel.: +31 102 447 185
fax: +31 102 447 186
email: rwa@archined.nl
website: www.rwa.archined.nl

Architectuurbureau Sluijmer en van Leeuwen
Kerkstraat 21
3581 RA Utrecht
tel.: +31 302 318 761
fax: +31 302 367 965
email: info@architectuurbureau.nl
website: www.architectuurbureau.nl

Jurgen Van Staaden
Oscarlaan 184
1325 EZ Almere
tel.: +31 365 357 010
fax: +31 365 376 998
email: vstaaden@santman.nl
website: www.santman.nl

Architectuurstudio Herman Hertzberger
Gerard Doustraat 220
1073 XB Amsterdam
Postbus 74665
1070 BR Amsterdam
tel.: +31 206 765 888
fax: +31 206 735 510
email: office@hertzberger.nl
website: www.hertzberger.nl

Next Architects
Weesperzijde 93
1091 EK Amsterdam
tel.: +31 204 630 463
fax: +31 203 624 745
email: info@nextarchitects.com
website: www.nextarchitects.com

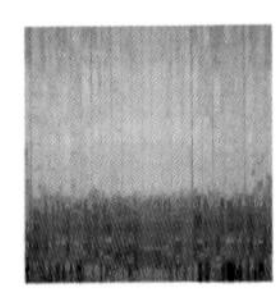

Kruunenberg Van der Erve Architecten
Conradstraat 8
1018 NG Amsterdam
tel.: +31 203 208 486
email: kvdearch@wxs.nl

MVRDV
Postbus 63136
3002 JC Rotterdam
tel.: +31 104 772 860
fax: +31 104 773 627
email: office@mvrdv.nl
website: www.mvrdv.nl

EMBT Arquitectes
Passatge Pau 10
08002 Barcelona, Spain
tel.: +34 934 125 342
fax: +34 934 123 718
email: publicacio@mirallestagliabue.com
website: www.mirallestagliabue.com